Lehrwerk für Deutsch als Fremdsprache

Arbeitsbuch

von
Martin Müller,
Paul Rusch,
Theo Scherling
und
Lukas Wertenschlag

Grammatik: Helen Schmitz in Zusammenarbeit mit Reiner Schmidt

Langenscheidt

Berlin · München · Wien · Zürich · New York

Redaktion: Sabine Wenkums und Gernot Häublein
Visuelles Konzept, Layout: Ute Weber in Zusammenarbeit mit Theo Scherling
Umschlaggestaltung: Studio Schübel Werbeagentur; Foto Getty Images / V. C. L.
Zeichnungen: Christoph Heuer und Theo Scherling
Fotoarbeiten (soweit im Quellenverzeichnis nicht anders angegeben): Vanessa Daly
Satz und Litho: Angelika Schönwälder, kaltnermedia Bobingen

Verlag und Autoren danken Evelyn Farkas, Cornelia Gick, Virginia Gil, Katja Wirth und allen Kolleginnen und Kollegen, die *Optimal* begutachtet und mit Kritik und wertvollen Anregungen zur Entwicklung des Lehrwerks beigetragen haben.

Optimal A1 – Materialien

Lehrbuch A1	3-468-47001-0
Audio-Kassetten A1	3-468-47004-5
Audio-CDs A1	3-468-47005-3
Arbeitsbuch A1	3-468-47002-9 mit eingelegter Lerner-Audio-CD
Lehrerhandbuch A1	3-468-47003-7 mit eingelegter Lehrer-CD-ROM
Testheft A1 mit eingelegter Audio-CD	3-468-47011-8
Glossar Deutsch-Englisch A1	3-468-47014-2
Glossar Deutsch-Französisch A1	3-468-47015-0
Glossar Deutsch Italienisch A1	3-468-47016-9
Glossar Deutsch-Spanisch A1	3-468-47017-7
Lerner-CD-ROM A1	3-468-47010-X

Symbole in Optimal A1

Ü 7	**Übung 7** in diesem Kapitel
A 7	**Aufgabe 7** im Lehrbuch
1.2	**Hören** Sie auf der CD 1 zum Lehrbuch den Index 2.
	Lösungen hierzu im Lösungsschlüssel
W	**Wiederholungsübung** im Grammatik-Teil
R 1	**Rückschau-Übung 1**

Internetadressen:
www.langenscheidt.de/optimal
www.langenscheidt.de

Umwelthinweis: gedruckt auf chlorfrei gebleichtem Papier

Druck: Landesverlag Druckservice, Linz
Printed in Austria · ISBN 3-468-47002-9

2004 05 06 07 08 · 5 4 3 2 1

Inhalt

1 Menschen – Sprachen – Länder

Name, Herkunft, Sprache

1.2

Ü 1

a) Hören Sie A 1. Notieren Sie die Namen.

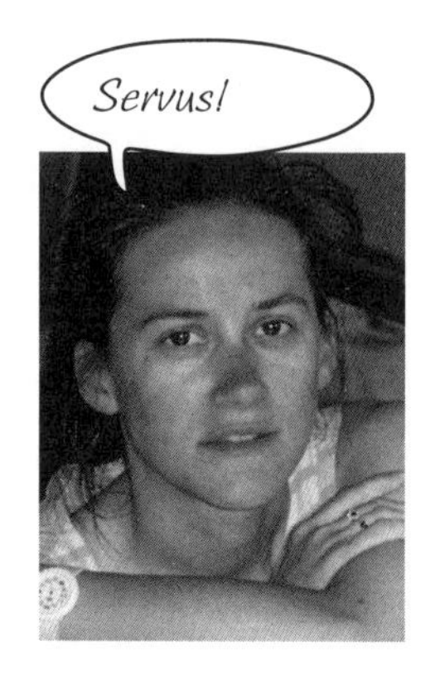

Sie heißt: ____________ Sie heißt: ____________ Er heißt: ____________

1.2

b) Hören Sie A 1. Notieren Sie.

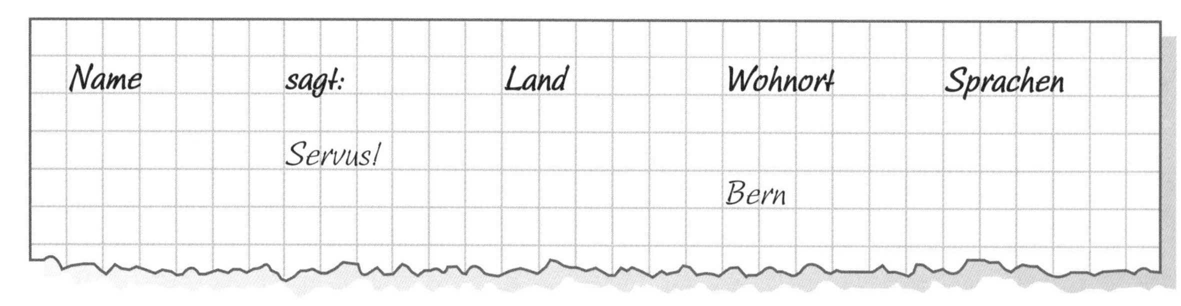

Ü 2

Lesen Sie A 1b. Ergänzen Sie die Namen.

__________ (1) kommt aus Österreich. __________ (2) spricht Deutsch und Englisch.

__________ (3) wohnt in Graz. __________ (4) kommt aus Deutschland.

__________ (5) wohnt in Bern. __________ (6) spricht Deutsch, Französisch und Spanisch.

__________ (7) kommt aus der Schweiz. __________ (8) wohnt in Hamburg.

__________ (9) spricht Deutsch und Italienisch.

Ü 3

a) Lesen und ergänzen Sie.

wohne • komme • heiße • ist • spreche

Guten Tag! Ich __________ (1) Andrea. Ich __________ (2) aus Deutschland. Ich __________ (3) in Hamburg. Ich __________ (4) Deutsch und Englisch.

Servus! Mein Name __________ (5) Anna. Ich __________ (6) aus Österreich.

Ich __________ (7) in Graz. Ich __________ (8) Deutsch und Italienisch.

Grüezi! Ich __________ (9) Urs. Ich __________ (10) aus der Schweiz.

Ich __________ (11) in Bern. Ich __________ (12) Deutsch, Französisch und Spanisch.

b) Und Sie? Schreiben Sie Sätze.

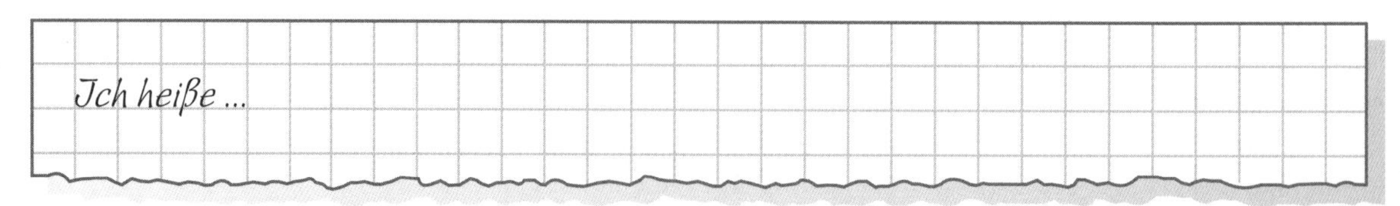

Ü 4 
Hören Sie A 2.
Notieren Sie.

Name	*Martina*	______	______
Herkunft	______	______	______
Wohnort	______	______	______
Sprachen	______	______	______

Ü 5 1.3
Hören Sie A 2.
Ergänzen Sie.

Sie sagt „Buon giorno". Sie heißt ______ (1). Sie kommt ______ (2) Italien und wohnt ______ (3) Rom. 3. Sie lernt ______ (4).

Er heißt Andrés García. Er kommt aus ______ (5), aus Mexico. Er wohnt in ______ (6). Er spricht Spanisch, ______ (7) und Deutsch.

Sie sagt „Merhaba". Sie kommt aus ______ (8). Sie wohnt ______ (9) Ankara.
Sie spricht Türkisch, ______ (10) und Deutsch.

Ü 6
Ordnen Sie Fragen und Antworten zu.

1. Woher kommst du?
2. Wo wohnst du?
3. Welche Sprachen sprichst du?
4. Wie heißt du?

A In Tunis, in Tunesien.
B Ich spreche Spanisch und Italienisch.
C Aus Asien, aus Vietnam.
D Deutsch, Russisch und Arabisch.
E Ich heiße Pedro, Pedro Delgado.
F Ich wohne jetzt in Dresden.

Ü 7
Du oder Sie? Ergänzen Sie die Fragen.

1. *Wie heißt du?*	Ich heiße Melanie. Und du?
2. ______	Ich komme aus Frankreich, aus Paris. Und Sie?
3. ______	Ich spreche Arabisch und Englisch. Und du?
4. ______	Ich wohne in der Schweiz, in Basel. Und Sie?
5. ______	Ich wohne in Santiago, in Chile. Und du?
6. ______	Ich heiße Peter Franke. Und Sie?
7. ______	Ich komme aus Afrika, aus Marokko. Und du?
8. ______	Ich spreche Thai und Deutsch. Und Sie?

Adresse, Telefonnummer

1.6

Ü 8
Hören Sie A 4.
Was hören Sie?
Markieren Sie.

1. [a] Ich heiße Gertrund Steiner.
   [b] Ich bin Gertrud Steiner.
2. [a] Woher sind Sie, Herr Papadopoulos?
   [b] Woher kommen Sie, Herr Papadopoulos?
3. [a] Patras? Wo ist das?
   [b] Patras? Wo liegt das?
4. [a] Hallo, Laura, das ist Bruno.
   [b] Hallo, Laura, das ist Pedro.
5. [a] Woher kommst du, Bruno?
   [b] Woher bist du, Bruno?
6. [a] Aus Amerika.
   [b] Aus Lateinamerika.

Ü 9
Vorstellen: Was sagen Sie? Schreiben Sie.

1. Hallo, ich heiße Sandra. *Hallo, Sandra, ich heiße …* ______
2. Das ist Pedro! ______
3. Und das ist Frau Kuhn. ______
4. Mein Name ist Sandra Meier. ______
5. Guten Tag, ich heiße Petrovsky. ______

1.8

Ü 10
a) Hören Sie A 5.
Markieren Sie.

und /wieistdietelefonnummernulldreinullvierdreisechssiebenachtzweinull
neundankeundwieistdieadresseberlinlausitzerplatzvierunddiepostleitzahlberlineinsnull
neunneunsiebenvielendank

b) Hören Sie A 5.
Notieren Sie.

1. Die Telefonnummer ist ______
2. Die Adresse ist ______
3. Die Postleitzahl ist ______

Ü 11
a) Fragen Sie und antworten Sie.

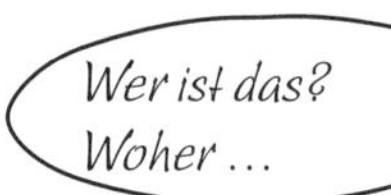

Das ist …
…

Sangsri – Thailand
Thai, Englisch, Deutsch
Kramgasse 4
CH 300 Bern
Tel. 0041 31 567893

Ali – Libyen
Arabisch, Deutsch
Römerstraße 24
D 53111 Bonn
Tel. 0049 228 347680

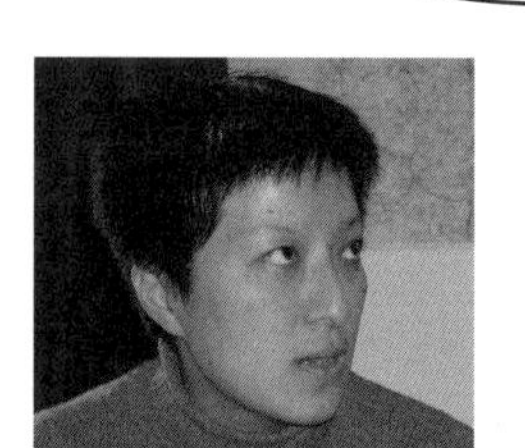

Hua – China
Chinesisch, Englisch
Europaplatz 12
A 8020 Graz
Tel. 0043 316 689572

Raciel – Kuba
Spanisch, Italienisch
Adenauerallee 39
D 20097 Hamburg
Tel. 0049 40 2987621

b) Beschreiben Sie eine Person.

Das ist Raciel. Er ….

Informationen suchen und ordnen

Ü 12
Lesen Sie A 7.
Notieren Sie.

1. Wer sagt „Guten Tach“? ____________
2. Wo liegt Minsk? ____________
3. Wie ist die Postleitzahl in Dresden? ____________
4. Wo liegt Innsbruck? ____________
5. Wie ist die Telefon-Vorwahl für Deutschland? ____________
6. Wo liegt Kiel? ____________
7. Wie ist die Adresse von transit text? ____________
8. Woher kommt Akemi Waldhäusl? ____________

im Norden von

N
W O
S

im Süden von

Ü 13
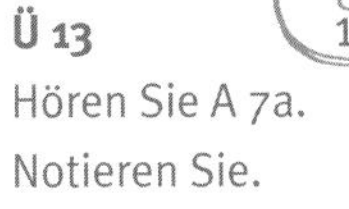

Hören Sie A 7a.
Notieren Sie.

1. Wo wohnt Sergei Sokolovski in Dresden? ____________
2. Woher kommt Familie Sokolovski? ____________
3. Wo lebt Akemi? ____________
4. Woher kommt Akemi? ____________
5. Wie ist die Adresse von transit text? ____________
6. Wie ist die E-Mail-Adresse von transit text? ____________
7. Welche Sprache spricht Werner? ____________
8. Wo liegt Schleswig-Holstein? ____________

Ü 14
a) Ordnen Sie Fragen und Antworten zu.

1. _B_ Wie heißt er?
2. ___ Woher kommt er?
3. ___ Welche Sprachen spricht er?
4. ___ Wo wohnt er?
5. ___ Wie ist die Adresse?
6. ___ Wie ist die Postleitzahl?
7. ___ Wie ist die Telefonnummer?
8. ___ Wie ist die E-Mail-Adresse?

A In Dresden, in Deutschland.
B Amadeo Schulte.
C Aus Mexiko.
D Bahnhofplatz 8.
E Spanisch, Deutsch und Tschechisch.
F 0049 351 2231812.
G amadeo.schulte@t-online.de
H Die Postleitzahl ist 01259.

Das ist Amadeo Schulte. Er …

b) Beschreiben Sie Amadeo Schulte.

Zahlen

Ü 15
a) Welche Zahlen kennen Sie? Schreiben Sie.

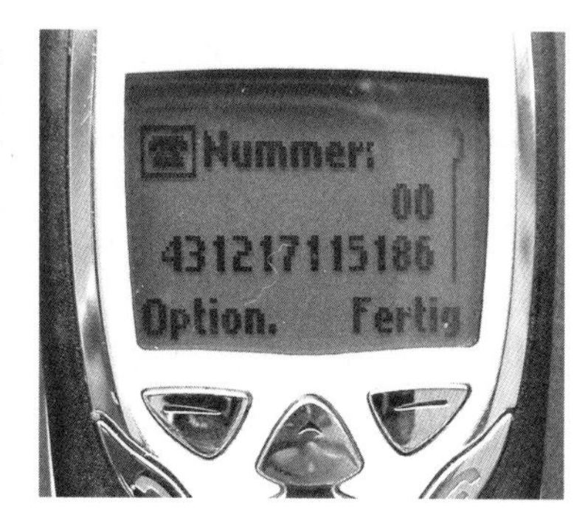

Zahlen 1 – 10

null ______________________

____

Zahlen 10 – 20

elf ______________________

____

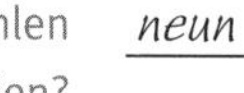

b) Welche Zahlen fehlen?

neun ______________________

____

Tipp:	Deutsche Zahlen hören/sprechen	=	Deutsche Zahlen schreiben
	Beispiele: fünf/zehn 15		ein/und/zwanzig 21

1.13 **Ü 16**
a) Hören Sie A 8 und notieren Sie.

1.14 b) Hören Sie A 9 und schreiben Sie die Zahlen.

A *004* ______________ *null null vier* ______________

B ______________ ______________

C ______________ ______________

D ______________ ______________

Kontinente, Länder, Sprachen

Ü 17
Welche Sprachen kennen Sie?

1. *„Buenos días" ist spanisch.*
2.
3.
4.
5.
6.
7.

Deutsch lernen

Ü 18
Hören Sie A 11b. Notieren Sie das Verb.

1. *sprechen* ______________
2. *lesen* ______________
3. ______________
4. ______________
5. ______________
6. ______________
7. ______________
8. ______________
9. ______________

Grammatik

Text: „sie“ und „er“

1. Anna kommt aus Österreich. *Sie* ______ wohnt in Graz. ______ spricht Deutsch und Italienisch.
2. Andrés kommt aus Mexiko. ______ wohnt in Puebla. ______ spricht Spanisch, Englisch und Deutsch.
3. Gertrud Steiner kommt aus Deutschland. ______ wohnt in Berlin.
4. Jorgos Papadopoulos kommt aus Griechenland. ______ wohnt in Patras.

Ü 19
Ergänzen Sie: „sie“ oder „er“.

Personen ansprechen: „du“ oder „Sie“

1
- ● Guten Tag! Ich heiße Sokolovski. Und wie heißen ______?
- ○ Ich heiße Ströbel, Barbara Ströbel.
- ● Und wo wohnen ______?
- ○ Ich wohne in Stuttgart.

2
- ● Hallo, ich bin Martina, und wie heißt ______?
- ○ Ich heiße Bruno.
- ● Woher kommst ______?
- ○ Ich komme aus Chile.

Ü 20
Ergänzen Sie: „du“ oder „Sie“.

Satz: Aussagesatz und W-Frage

komme • wohne • heiße • spreche • liegt

1. Ich Akemi Waldhäusel — *Ich heiße ...* ______
2. Ich aus Japan — ______
3. Ich in Innsbruck — ______
4. Innsbruck im Westen von Österreich — ______
5. Ich drei Sprachen — ______

Ü 21
a) Wo fehlt das Verb?
b) Schreiben Sie.

1. ● Ich komme aus der Türkei. ○ *Woher kommen Sie?* ______ ● Aus der Türkei.
2. ● Ich heiße Gönül. ○ ______ ● Gönül Aktan.
3. ● Ich wohne in Ankara. ○ ______ ● In Ankara.
4. ● Ich spreche Türkisch, Englisch und Deutsch. ○ ______ ● Türkisch, Englisch und Deutsch.

Ü 22
„Wie bitte?“ Fragen Sie.

guten/tag/woher/kommensieichkommeausmexikoundwoherkommensieichkommeausdeutschland

● *Guten Tag. Woher ...*

Ü 23
Schreiben Sie den Dialog.

Ü 24 Schreiben Sie die Sätze.

1 aus – Andrea – kommt – Deutschland — *Andrea kommt aus Deutschland.*
Hamburg – wohnt – sie – in — *Sie* ___
und – Deutsch – Englisch – sie – spricht ___

2 heißen – Sie – wie – ? ___
Jorgos – ich – Papadopoulos – heiße ___
Sie – woher – kommen – ? ___
Patras – aus ___

Ü 25 a) Spielen Sie. b) Schreiben Sie sechs Sätze.

	1	2	3	4	5	6
Wer?	Peter	Maria	Mehmet	Tina	Michael	Sabine
Woher?	Türkei	USA	Thailand	Japan	Spanien	Russland
Wo?	New York	Bangkok	Tunis	Madrid	Moskau	Tokio

Würfeln Sie 3-mal.
Beispiel: Sie würfeln 4 – 3 – 1 = Tina – Thailand – New York:

● *Tina kommt aus Thailand. Sie wohnt in New York.*

Satz: Aufforderungssatz

Ü 26 Lesen Sie A 1 – 11: Sammeln Sie Aufforderungssätze.

1	2	
Hören	*Sie.*	

Vorstellen: Name, Herkunft, Wohnort, Sprachen

A

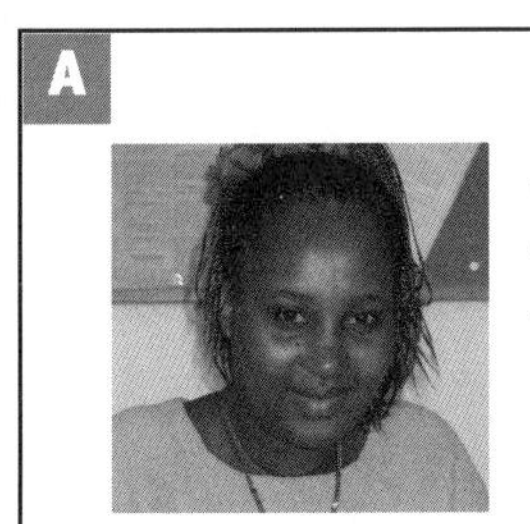

Joanna Cantari
Afrika, Ghana
Accra
Englisch und Akan

B

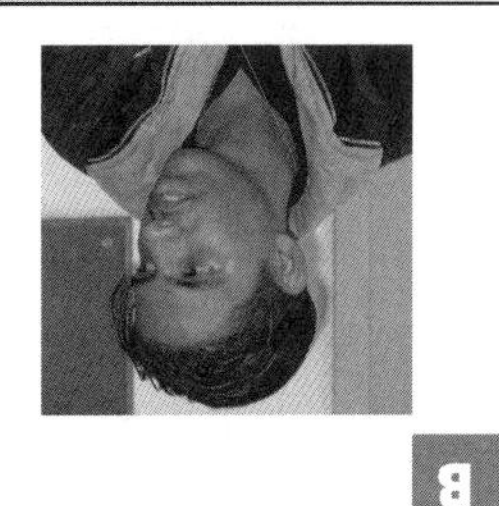

Pedro Moreno
Lateinamerika, Chile
Santiago de Chile
Spanisch und Deutsch

R 1
a) Wer ist das? Fragen und antworten Sie.
b) Bewerten Sie: ++, +, –, – –.

1. Ich komme aus Europa. Und Sie? ______________________
2. Ich komme aus der Schweiz. Und Sie? ______________________
3. Hallo, ich heiße Franca! Und du? ______________________
4. Das ist Frau Petterson. ______________________

R 2
a) Wie reagieren Sie?
b) Bewerten Sie: ++, +, –, – –.

Informationen verstehen und weitergeben: Name, Adresse, Telefonnummer

A

Silvia Ritter
Bahnhofstraße 34
D-45259 Essen
0049 201 678921

B

Stefan Lohe
Chemnitzstraße 33
D-24116 Kiel
0049 431 7856129

R 3
a) Wo wohnt ...? Fragen und antworten Sie.
b) Bewerten Sie: ++, +, –, – –.

Das kann ich

		++	+	–	– –
hören	Ich kann Adressen und Telefonnummern verstehen.				
lesen	Ich kann einfache Informationen in Texten suchen und verstehen.				
schreiben	Ich kann mich oder eine andere Person beschreiben.				
sprechen	Ich kann mich oder eine andere Person vorstellen.				
	Ich kann im Kurs ein Interview machen.				
Wortschatz	Ich kann die Zahlen von 1 – 20 auf Deutsch.				
	Ich kann die Wörter für mein Land und meinen Kontinent auf Deutsch.				
Aussprache	Ich kann das Alphabet sprechen.				
Grammatik	Ich kann W-Fragen stellen und beantworten.				
	Ich kann Personen mit *du* oder *Sie* ansprechen.				

R 4
a) Kreuzen Sie an.
b) Fragen Sie den Lehrer / die Lehrerin.

2 Eine fremde Stadt

Ankunft

Tipp: Mit „rechts“ ↱, „links“ ↰, „geradeaus“ ↑ finden Sie den Weg.

Ü 1
Lesen Sie die Dialoge. Wer sucht den Bahnhof, die Post, die Touristeninformation: 1, 2 oder 3?

Ü 2
Beschreiben Sie einen Weg. Der Partner / Die Partnerin sucht. Was ist da?

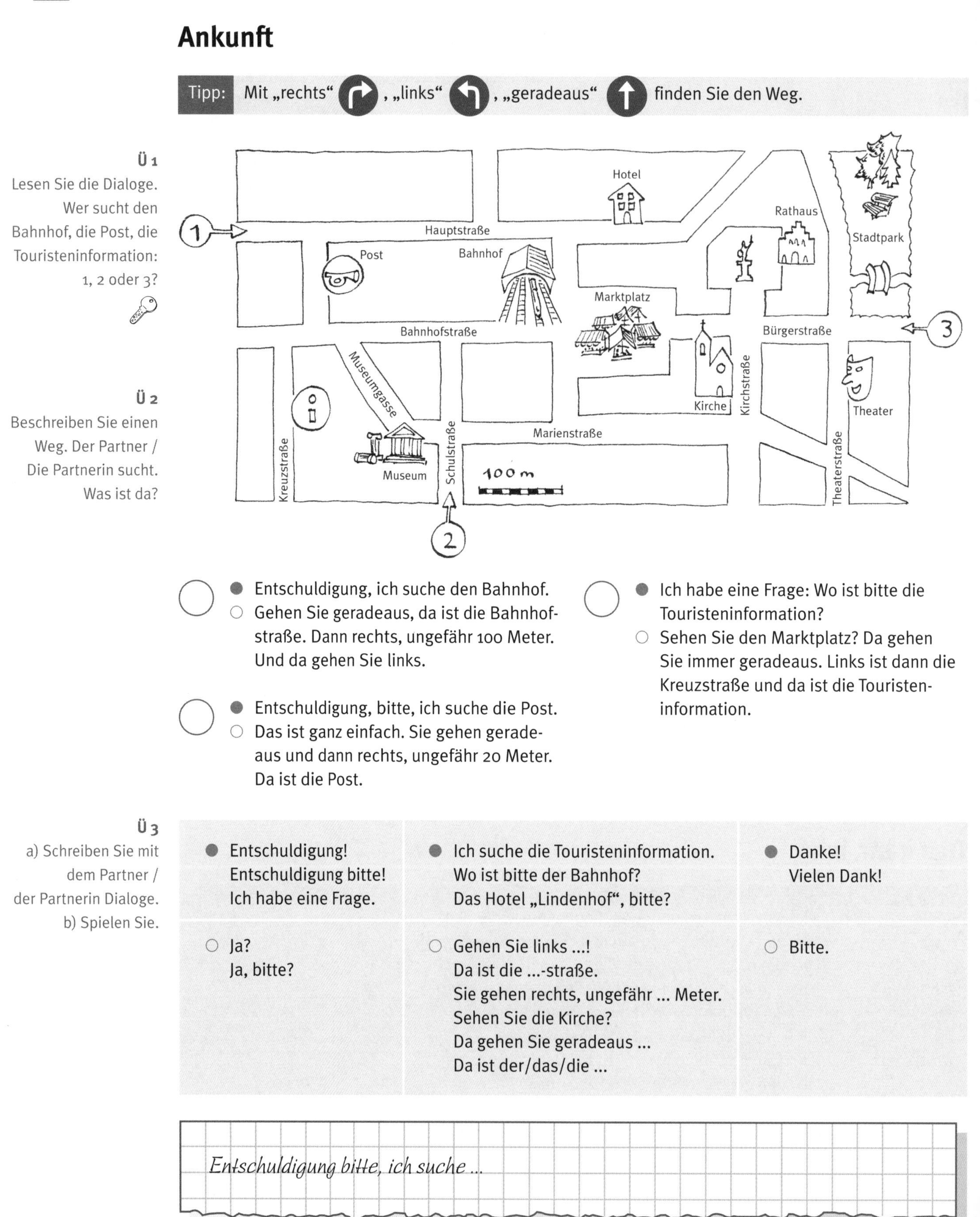

◯
- ● Entschuldigung, ich suche den Bahnhof.
- ○ Gehen Sie geradeaus, da ist die Bahnhofstraße. Dann rechts, ungefähr 100 Meter. Und da gehen Sie links.

◯
- ● Entschuldigung, bitte, ich suche die Post.
- ○ Das ist ganz einfach. Sie gehen geradeaus und dann rechts, ungefähr 20 Meter. Da ist die Post.

◯
- ● Ich habe eine Frage: Wo ist bitte die Touristeninformation?
- ○ Sehen Sie den Marktplatz? Da gehen Sie immer geradeaus. Links ist dann die Kreuzstraße und da ist die Touristeninformation.

Ü 3
a) Schreiben Sie mit dem Partner / der Partnerin Dialoge.
b) Spielen Sie.

● Entschuldigung! Entschuldigung bitte! Ich habe eine Frage.	● Ich suche die Touristeninformation. Wo ist bitte der Bahnhof? Das Hotel „Lindenhof“, bitte?	● Danke! Vielen Dank!
○ Ja? Ja, bitte?	○ Gehen Sie links ...! Da ist die ...-straße. Sie gehen rechts, ungefähr ... Meter. Sehen Sie die Kirche? Da gehen Sie geradeaus ... Da ist der/das/die ...	○ Bitte.

Entschuldigung bitte, ich suche ...

Ü 4 1.26
a) Hören Sie A 2. Ergänzen Sie.

b) Vergleichen Sie mit A 2.

- ● Ich _möchte_ (1) einen Stadtplan.
- ○ Hier bitte.
- ● ________ (2) Sie auch ein Kulturprogramm?
- ○ Hier ist der Stadtprospekt, da ________ (3) Sie das Kulturprogramm.
- ● ________ (4) Sie hier auch das Touristen-Ticket?
- ○ Nein, leider nicht. Tickets ________ (5) es im Bahnhof.
- ● Ich ________ (6) noch eine Frage: Wo ________ (7) das Hotel Lindenhof?
- ○ Das ________ (8) im Zentrum.

Ü 5 1.27
Hören Sie A 4a. Was hören Sie? Kreuzen Sie an.

	a	b	c
1.	☒ Wir sind hier.	b Da sind wir.	c Das ist hier.
2.	a bis ins Zentrum	b Richtung Zentrum	c zum Zentrum
3.	a Da ist das Theater.	b Da liegt das Theater.	c Da ist links das Theater.
4.	a Sie sehen rechts	b Sie gehen rechts	c Sie gehen links
5.	a da ist das Hotel	b da gibt es das Hotel	c da sehen Sie das Hotel
6.	a Das ist sehr weit.	b Wie weit ist das?	c Ist das weit?

Ü 6 1.28
Hören Sie A 4b. Nummerieren Sie.

___ Und da ist das Aalto-Theater.
___ Ist das weit?
_1_ Suchen Sie noch etwas?
___ Sehen Sie, das ist der Bahnhof.
___ Nein, 10 Minuten.
___ Danke. Auf Wiedersehen!

Im Hotel

Ü 7 1.29
Hören Sie A 5a. Richtig oder falsch? Kreuzen Sie an.

		R	F
1.	Die Frau heißt Milena Hlasek.	☐	☐
2.	Sie möchte ein Doppelzimmer für drei Nächte.	☐	☐
3.	Milena Hlasek unterschreibt.	☐	☐
4.	Sie hat Zimmer 12.	☐	☐
5.	Frühstück gibt es von acht bis zehn Uhr.	☐	☐

Ü 8
a) Wer sagt was? Ordnen Sie zu.

b) Machen Sie Dialoge und spielen Sie.

Bitte ergänzen Sie: Name und Adresse.
(1) Guten Tag, bitte?
Ich möchte ein Doppelzimmer, zwei Nächte.
Guten Tag, mein Name ist Berger.
Und hier unterschreiben, bitte.
Moment bitte, Herr Burger.
Nein, nicht Burger, Berger.
Sie haben Zimmer 20.
Oh, Entschuldigung, Herr Berger.
Danke.

Ein Tag in Essen

Ü 9
Lesen Sie A 7.
Richtig oder falsch?
Kreuzen Sie an.

	R	F
1. Im Norden von Essen ist der Grugapark.	☐	☐
2. Das Musik-Theater von Essen heißt Aalto-Theater.	☐	☐
3. Das Museum Folkwang hat eine Foto-Sammlung.	☐	☐
4. Die Alte Synagoge ist 1000 Jahre alt.	☐	☐
5. In der Grugahalle gibt es Sport und Konzerte.	☐	☐
6. Die Zeche Zollverein ist heute ein Kulturzentrum.	☐	☐

Ü 10
Lesen Sie A 8.
Ordnen Sie Fragen und Antworten zu.
Nummerieren Sie.

1. Was liest Milena?	____	In Essen.
2. Wo wohnt Beatrix?	____	Das Münster und die Alte Synagoge.
3. Was sieht Milena in der Altstadt?	_1_	Prospekte.
4. Was ist sehr bekannt?	____	Abends.
5. Was gibt es im Museum Folkwang?	____	Die Alte Synagoge.
6. Wann kommt Milena zum Hotel?	____	Eine Fotoausstellung.

Ü 11
a) Nummerieren Sie.

1.30

b) Hören Sie A 8.
Vergleichen Sie.

___ Oh, das ist schön.
___ Die Alte Synagoge ist sehr bekannt.
___ Dort siehst du das Münster.

_1_ Hast du morgen Zeit?
___ Das Museum Folkwang ist auch nicht weit.
___ Ich möchte auch zum Aalto-Theater.

___ Nur zwei Stunden.
___ Und abends komme ich zum Hotel.

Ü 12
Ihre Stadt: Schreiben Sie einen Text nach dem Muster.

Meine Stadt **heißt** *Verona.*
Verona **liegt im** *Norden* **von** *Italien.*
Die Arena von Verona **ist sehr bekannt.**
Das ist *ein Theater,* **es ist** *2000* **Jahre alt.**
Romeo und Julia **kommen aus** *Verona.*
In *Verona* **gibt es** *das Haus von Romeo und Julia.*
Die Altstadt **ist auch wichtig in** *Verona.*
Da gibt es *viele Bars und Restaurants.*
Der Lago di Garda **ist in der Nähe.**
Da ist es *sehr schön.*

Internationale Wörter suchen

Ü 13
Welche Wörter kennen Sie? Markieren und notieren Sie.

Musik-Download drückt CD-Verkauf

Musik-Industrie sieht sich durch neue Studie bestätigt.

London – Der Download von Musik aus dem Internet reduziert den Verkauf von Audio-CDs, zumindest in Europa. Das zeigt eine aktuelle Studie.
Laut dieser Studie kaufen 43 Prozent der Internetbenutzer weniger Musik-CDs. Die regelmäßigen Benutzer von Tauschbörsen wie KaZaA & Co holen sich pro Monat im Durchschnitt 12,6 Songs auf ihren Computer. 63 Prozent brennen selbst CDs.

„Fußballer sind auch nur Menschen“

Bayern München gut, aber vielleicht zu schlecht.

AC Milan, Manchester United und CF Barcelona sind in der Fußball Champions League eine Runde weiter.
Die Bayern sind nach der 1:2-Niederlage beim AC Milan geschockt. Dreimal haben Sie verloren, nur beim französischen Club Lens wurde ein Remis erreicht. Kapitän und Tormann Oliver Kahn ist verletzt und fehlt im nächsten Spiel beim spanischen Team La Coruña.

„Steirischer Herbst“ auch im Winter

Das steirische Kulturfestival wird heute in Graz eröffnet.

Gestern stellte Festival-Chef Wolfgang Oswald das neue Programm vor. Für Theaterfreunde gibt es neue Produktionen. Die Premiere von Elfriede Jelineks Prinzessinnendramen I–III wird mit besonderer Spannung erwartet. Das Musikdrama Macbeth von Salvatore Sciarrino wird von Regisseur Achim Freyer inszeniert, die Musik besorgt das Orchester des Klangforums Wien.

Ü 14
Was ist das Thema? Schreiben Sie in Ihrer Sprache.

1. Band – Hit – Instrument – Musikvideo
2. Parlament – Präsident – Konflikt – Protest
3. Euro – Dollar – Index – Prozent
4. Tourist – Hotel – Restaurant – Taxi
5. PC – Software – Internet – E-Mail
6. Theater – Festival – Film – Programm

Thema

1. Rock, Pop

Ü 15
Ordnen Sie die Wörter alphabetisch.

Stadt|kern *m* town (*od.* city) cent/re *Am.* -er). **~leben** *n* city life. **~luft** *f* city air. **~mauer** *f* city wall. **~mitte** *f* → *Innenstadt.* **~plan** *m* city map.

1	2	3
Stadtzentrum	Telefon	einfach
Stadt	Theater	einmal
Stadtprogramm	Ticket	Einzelzimmer
Stadtplan	Text	Entschuldigung

Um Wiederholung bitten

Ü 16
Buchstabieren Sie Ihren Namen. Notieren Sie.

- ● Wie ist Ihr Name, bitte?
- ○ Deirdre O'Connor.
- ● Wie? Buchstabieren Sie, bitte!
- ○ De, E, I, eR, De, eR, E.

Name, Herkunft

Ü 17
a) Welche Wörter verstehen Sie? Markieren Sie.
b) Notieren Sie die Zahlen aus dem Pass.

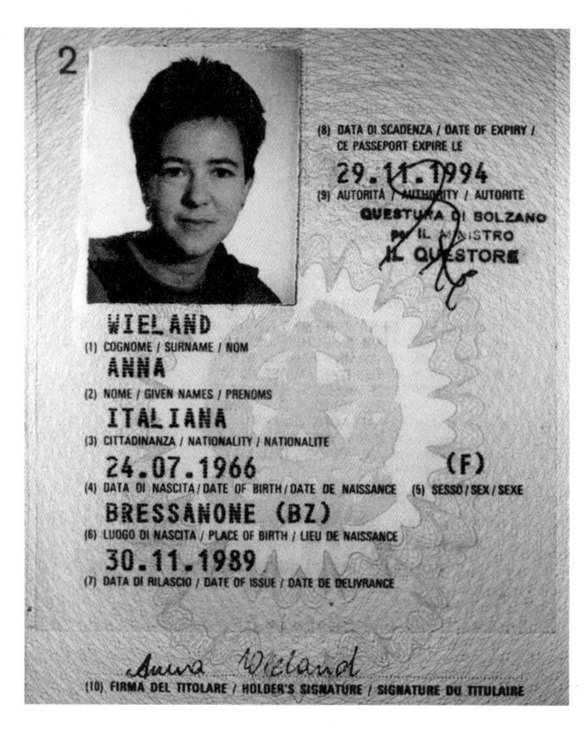

(*1*) der Name
(__) der Geburtsort
(__) die Unterschrift
(__) die Staatsangehörigkeit/Nationalität
(__) das Geburtsdatum
(__) der Vorname

c) Ordnen Sie Wörter und Fragen zu. Machen Sie Pfeile →.

1. der Name
2. der Vorname
3. die Nationalität → C
4. der Wohnort

A Wie heißt du? / Wie heißen Sie?
B Wo wohnst du? / Wo wohnen Sie?
C Woher kommst du? / Woher kommen Sie?

Wörter kombinieren

Ü 18
Suchen Sie die Verben im Kapitel 2. Notieren Sie.

suchen	*die Touristeninformation suchen*	haben	______
lesen	*die Prospekte*	finden	______
gehen	______	machen	______

Ü 19
Was passt zusammen? Notieren Sie.

~~langsam~~ • schnell • groß • alt • weit • bekannt

1. Sprechen Sie bitte *langsam* .
2. Entschuldigung, bitte nicht so ______ .
3. Eine Stunde zu Fuß, das ist ______ .
4. Der Grugapark ist sehr ______ .
5. Die Kirche ist 1000 Jahre ______ .
6. Das Aalto-Theater ist sehr ______ .

Wörter unterschneiden

Ü 20
a) Suchen Sie Wörter.
b) Notieren Sie die Substantive mit Artikel.

der/ausgang/alt/berühmtdiestadtfindendiefragegehendasfrühstückgeradeausgroßgutdashotel
kommenlangsamlesendienachtrichtigdieunterschriftweitdaszentrumschnelldaszimmerzeigen

1. *der Ausgang*
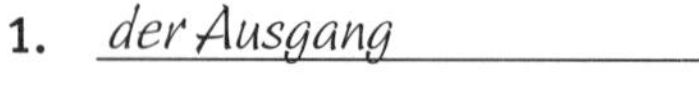
2. ______
3. ______
4. ______
5. ______
6. ______
7. ______
8. ______
9. ______

Artikelwörter und Substantiv: bestimmter Artikel

Artikel-Quiz

Ü 21
Spielen Sie mit dem Partner / der Partnerin. Das Wörterverzeichnis hilft.

Ausgang	Museum	Minute	Prospekt
Platz	Straße	Übernachtung	Freundin
Altstadt	Ticket	Theater	Stadt
Abend	Stunde	Bahnhof	Zimmer
Tag	Hotel	Name	Schlüssel

Tipp: **Schreiben Sie Substantive + Artikel auf Kärtchen:**
drei Farben für maskulin, neutrum und feminin.
Schreiben Sie Substantive immer groß (der **W**eg).

Nominativ und Akkusativ

Ü 22
Fragen Sie den Partner / die Partnerin.

Ausgang • Adresse • Theater • Altstadt • Bahnhof • Museum • Hotel • Stadtplan

Suchst du das Theater? – Nein, ich suche das Museum.

Satz: Ja-/Nein-Frage und W-Frage

Ü 23
Welche Antwort passt?

Ja, die Ausstellung ist im Grugapark. • Das Aalto-Theater ist im Stadtgarten. • Ich heiße Beatrix. • Im Grugapark ist eine Fotoausstellung. • Nein, das Aalto-Theater ist im Stadtgarten. • Nein, ich heiße Beatrix.

1. Wo ist das Aalto-Theater? ______________________
2. Ist das Aalto-Theater weit? ______________________
3. Wie heißt du? ______________________
4. Heißt du Milena? ______________________
5. Ist die Ausstellung im Grugapark? ______________________
6. Was ist im Grugapark? ______________________

Ü 24 Sätze:
a) Markieren Sie das Verb.

1. Ich suche die Touristeninformation.
2. Gehen Sie da geradeaus, ungefähr 200 Meter.
3. Da ist rechts die Touristeninformation.
4. Ich möchte ein Kulturprogramm.
5. Hier ist der Stadtprospekt.
6. Haben Sie auch das Touristen-Ticket?
7. Ich habe noch eine Frage.
8. Wo ist das Hotel Lindenhof?
9. Hier haben Sie den Stadtplan von Essen.
10. Sehen Sie.
11. Wir sind hier und das Hotel ist hier im Zentrum.

b) Sortieren Sie die Sätze.

c) Wo ist das Verb?

	Satz -Nummer		Verb-Position
W-Frage			
Aussagesatz	*1.*		
Aufforderungssatz			
Ja-/Nein-Frag			

Verb und Subjekt: Konjugation Präsens

Ü 25 Ergänzen Sie.

~~ist~~ • ist • ist • ist • ist • ~~-t~~ • -t • -t • -en • -en • -e • -e • -e • bist • bin • -st • -st

1. Das *ist* Milena. Was such*t* sie?
   - ● Entschuldigung, ich such__ die Touristeninformation.
   - ○ Was such__ Sie?
   - ● Die Touristeninformation.
   - ○ Ach so, die ____ im Bahnhof.
   - ● Vielen Dank.
2. Marcel und Sören:
   - ● Entschuldigung, wir such___ das Hotel Central.
   - ○ Das Hotel Central? Das _____ ganz einfach. Das Hotel ____ hier.
3. Das _____ Maria. Woher komm__ sie und wo wohn__ sie?
   - ● Wer _______ du?
   - ○ Ich _______ Maria.
   - ● Woher komm___ du?
   - ○ Ich komm__ aus Argentinien.
   - ● Und wo wohn__ du?
   - ○ Ich wohn__ in Bern.

Ü 26
a) Markieren Sie die Verben.
b) Schreiben Sie die Verben mit Personalpronomen.

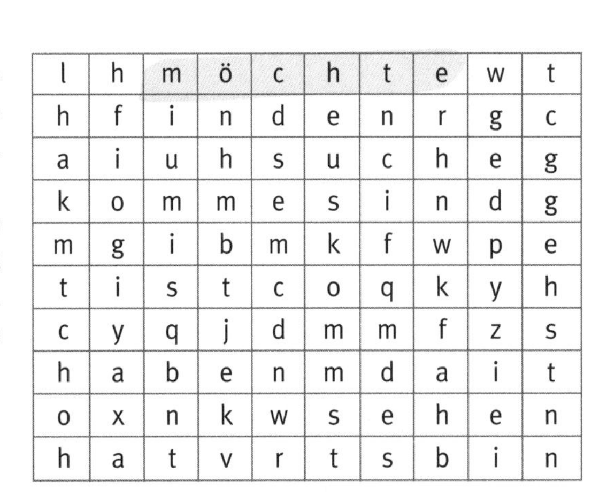

l	h	m	ö	c	h	t	e	w	t
h	f	i	n	d	e	n	r	g	c
a	i	u	h	s	u	c	h	e	g
k	o	m	m	e	s	i	n	d	g
m	g	i	b	m	k	f	w	p	e
t	i	s	t	c	o	q	k	y	h
c	y	q	j	d	m	m	f	z	s
h	a	b	e	n	m	d	a	i	t
o	x	n	k	w	s	e	h	e	n
h	a	t	v	r	t	s	b	i	n

wir • ich • du • er/es/sie • Sie

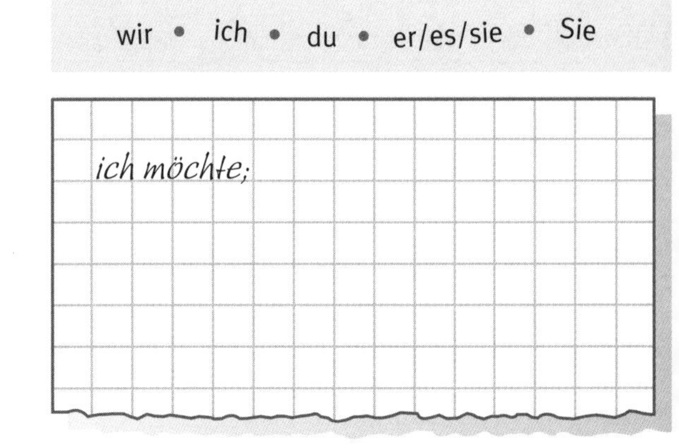

Informationen austauschen

A
Sie suchen den Bahnhof. Fragen Sie.

Der Partner / Die Partnerin fragt.
Antworten Sie:
• Touristeninformation

B
Der Partner / die Partnerin fragt.
Antworten Sie:
• Bahnhof

Sie suchen die Touristeninformation.
Fragen Sie.

A
Sie sind Tourist / Touristin. Sie kommen aus Deutschland und sprechen Deutsch.
Fragen Sie: „Was ist bekannt in ...?“

B
Sie wohnen in ... . Ein Tourist / Eine Touristin fragt Sie auf Deutsch.
Antworten Sie.

R 1
a) Spielen Sie.
b) Bewerten Sie:
++, +, –, – –.

Informationen suchen

HOTEL AMBASSADOR ESSEN

Unser Haus liegt im Zentrum von Essen.
In wenigen Minuten sind Sie in der Altstadt oder an der U-Bahn.
Das Frühstücksbüfett gibt es von 7.00 Uhr – 10.00 Uhr.
Die Zimmer haben Dusche und WC, Telefon und TV.
46 Einzelzimmer (Preis 55 EUR), 24 Doppelzimmer (Preis 80 EUR).

HOTEL AMBASSADOR
Viehofer Straße 23
45127 Essen
Telefon 02 01 / 23 75 - 15
www.ambassador-essen.de

R 2
Lesen Sie den Hotel-Prospekt und notieren Sie.

1. Wo liegt das Hotel?
   ____
2. Was gibt es im Zimmer?
   ____
3. Wie ist der Preis: Einzelzimmer?
   ____
4. Was gibt es von 7.00 Uhr bis 10.00 Uhr?
   ____

Das kann ich

		++	+	–	– –
hören	Ich kann eine Wegbeschreibung verstehen.				
	Ich kann eine Anweisung verstehen.				
lesen	Ich kann Informationen auf dem Stadtplan verstehen.				
	Ich kann internationale Wörter finden.				
schreiben	Ich kann ein Formular ausfüllen.				
	Ich kann meine Stadt beschreiben.				
sprechen	Ich kann um Auskunft bitten und die Antwort verstehen.				
	Ich kann um Wiederholung bitten.				
Wortschatz	Ich kann wichtige Wörter zum Thema „Stadt“ und „Hotel“.				
Aussprache	Ich kann Sätze mit Akzent und Satzmelodie sprechen.				
Grammatik	Ich kann Ja-/Nein-Fragen stellen und beantworten.				
	Ich kann Verben im Präsens verstehen und benutzen.				
	Ich kann *der, das, die* und *den, das, die* benutzen.				

R 3
a) Kreuzen Sie an.
b) Fragen Sie den Lehrer / die Lehrerin.

3 Musik

Das Konzert

Ü 1
Hören Sie A 2. Richtig oder falsch? Kreuzen Sie an.

	R	F
1. Franz ist der Sänger.	☐	☐
2. Franz ist 20 Jahre alt.	☐	☐
3. Franz ist Franzose.	☐	☐

	R	F
4. Bernard spielt Gitarre.	☐	☐
5. Bernard spielt schon 25 Jahre mit den Young Gods.	☐	☐
6. Bernard spricht Deutsch, Französisch und Englisch.	☐	☐
7. Bernard ist vierzig.	☐	☐

	R	F
8. Alain spielt Sampler.	☐	☐
9. Alain spielt schon 12 Jahre mit den Young Gods.	☐	☐
10. Alain spricht Spanisch.	☐	☐

Ü 2
Ergänzen Sie.

Die Youngs Gods __________ (1) eine Band. Sie __________ (2) Rockmusik. Sie __________ (3) Franz, Bernard und Alain. Franz __________ (4) und er __________ (5) Gitarre. Er __________ (6) 35 Jahre alt. Bernard spielt __________ (7). Er __________ (8) schon sechs Jahre mit den Young Gods. Er __________ (9) drei Sprachen: Französisch, Deutsch und Englisch. Alain __________ (10) Sampler.

Ü 3
a) Ordnen Sie die Fragen zu.
b) Fragen Sie den Partner / die Partnerin.

Wo wohnst du? • Spielst du ein Instrument? • Wie alt bist du? • Welche Sprachen sprichst du? • Wie lange spielst du Gitarre? • Was spielst du?

1. *Wo wohnst du?* __________ In der Schweiz.
2. __________ Ich bin 25 Jahre.
3. __________ Ich spiele Gitarre.
4. __________ Ja, natürlich. – Nein, leider nicht.
5. __________ 12 Jahre.
6. __________ Französisch, Englisch, Deutsch.

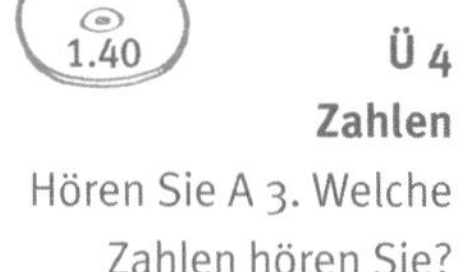
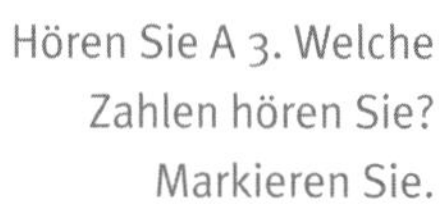

Ü 4
Zahlen
Hören Sie A 3. Welche Zahlen hören Sie? Markieren Sie.

Im Studio: Zahlen und Musik

0	1	2	3	4	5	6	7	8	9	10
	11	12	13	14	15	16	17	18	19	20

Die Welt-Tour

Deutschland • Schweden • Schweiz • Polen • Russland • Kanada • USA • Brasilien
Marokko • Mexiko • Frankreich • England • China • Japan • Thailand • Österreich
Ungarn • Tschechien • Ägypten

Ü 5 1.41
a) Hören Sie A 4. Welche Länder hören Sie? Markieren Sie.
b) Ordnen Sie.

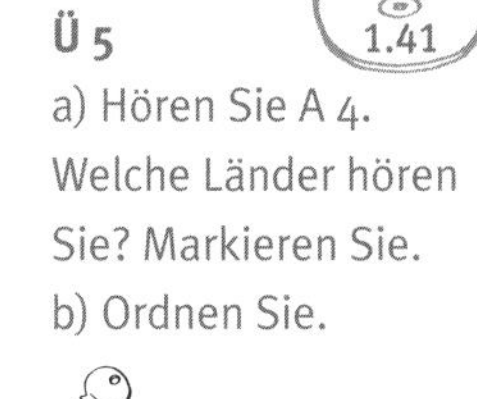

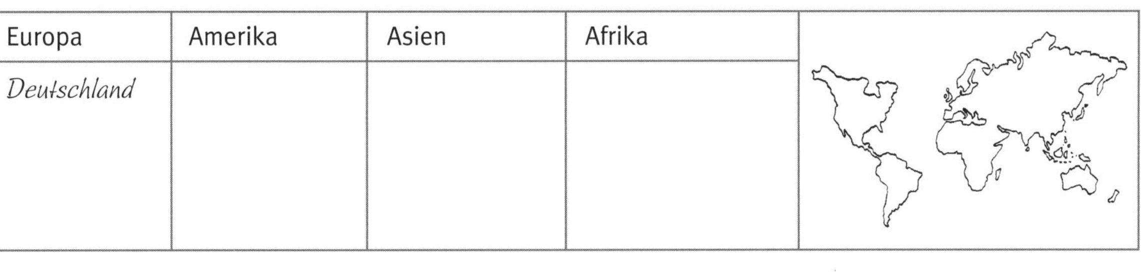

Europa	Amerika	Asien	Afrika
Deutschland			

Ü 6
Lesen Sie den Tour-Plan A 4. Antworten Sie.

1. Wo spielen die Young Gods im Januar? ______________________
2. Wann spielen sie in den USA? ______________________
3. Wie lange sind sie in Brasilien? ______________________
4. Wo spielen sie im August? ______________________
5. Wann sind sie in Frankreich und England? ______________________
6. Wann spielen sie in Österreich? ______________________

Ü 7 1.42
Hören Sie A 5. Ergänzen Sie.

Und nun die Termine der Deutschland-Tour: Die Young Gods spielen sechs Konzerte in Deutschland. Und zwar in Potsdam, Berlin, Bremen und Hamburg. Nicht vergessen:

Die Young Gods eine ______________ (1) in Deutschland: Am ______________ (2), am 1. März in Potsdam, am ______________ (3) 2. und 3. März sind sie in Berlin, dann zwei Konzerte in Bremen, am ______________ (4) und ______________ (5), am 4. und 5. März. Am 7. und 8., also am ______________ (6) und am ______________ (7) spielen sie in Hamburg.

Ü 8
Schreiben Sie das Datum.

	Wann?		Wann?
3.3.	am dritten März	16.1.	*am sechzehnten Januar / am sechzehnten Ersten*
_____	am zwölften November	21.10.	______________________
_____	am ersten August	9.9.	______________________
_____	am achtundzwanzigsten Juni	3.3.	______________________
_____	am dreißigsten Mai	7.12.	______________________
_____	am fünfundzwanzigsten Dezember	10.8.	______________________

Das Mozart Quartett

Ü 9 Lesen Sie A 7. Richtig oder falsch? Kreuzen Sie an.

	R	F
1. Das Mozart Quartett sind nur Frauen.	☐	☐
2. Die vier Musiker kommen aus Salzburg.	☐	☐
3. Der Mann links heißt Werner Neugebauer.	☐	☐
4. Claudia Hofert spielt Violine.	☐	☐
5. Nanni Zimmerebner kommt aus Salzburg.	☐	☐
6. Die Musiker spielen viel im Ausland.	☐	☐
7. Das Mozart-Quartett spielt nur Mozart.	☐	☐
8. Sie machen eine Afrika-Tour.	☐	☐
9. Sie verkaufen die CD für 5 Euro.	☐	☐

Ü 10 a) Vergleichen Sie. Sammeln Sie.

	Personen	Land	Instrumente	Musikstil
Young Gods				
Mozart Quartett				

b) Schreiben Sie.

Die Young Gods sind drei Männer, das Mozart Quartett …

Musik, Musik, Musik

1.43

Ü 11 a) Hören Sie A 8. Was gehört zu Dialog 1, was zu 2? Notieren Sie.

__ Hallo, Viktoria, wie findest du das Konzert?

__ Wie finden Sie das Violinkonzert?

__ Ich weiß auch nicht.

__ Spitze, sehr gut! Die Musik ist super! Und du?

__ ... Mögen Sie Wagner?

__ Findest du? Welche Musik hörst du denn gerne?

__ Nicht schlecht. Und Sie?

__ Das Konzert – schön! Die Solistin – einfach toll!

__ Ich mag lieber Rock.

__ Wie heißt sie?

__ Ich finde es schlecht. Der Sänger ist eine Katastrophe!

b) Im Konzert: Schreiben Sie einen Dialog.

● *Hallo, …*

○ …

Ü 12 Ordnen Sie die Wörter aus Ü 11 und ergänzen Sie.

Eine Katastrophe.

– ◄———— 0 ————► +

Texte verstehen: W-Fragen

„Götter" im Utopia

(ml) „The Young Gods" – das ist eine Band aus der Schweiz. Franz Treichler, 35, kommt aus Genf. Alain Monod, 43, kommt aus Freiburg und Bernard Trontin, 40, kommt aus Frankreich. Bernard spielt Schlagzeug, Alain spielt Sampler und Franz spielt Gitarre und singt auf Deutsch, Französisch und Englisch. Franz, Alain und Bernard spielen seit sechs Jahren zusammen. Sie sind auf Welt-Tour. Heute im „Utopia" in Innsbruck, morgen in Graz. Dann stehen sie in Prag und Budapest auf der Bühne. Dann geht es weiter nach Italien, Spanien und Portugal.
Das Konzert dauert drei Stunden. In der Pause frage ich die Besucher: „Wie findest du die Musik? – „Toll!" höre ich und „Super!", aber auch „Zu laut!".
Nach dem Konzert treffe ich die Band. Die „Young Gods" haben wenig Zeit. Ich frage sie: „Wie geht es? Zufrieden?" Und sie antworten: „Das Publikum ist spitze!" Und weg sind sie.

Wer? *Young Gods:* *Franz Treichler, …*
Was?
Wann?
Wo?
W-?

Ü 13
Lesen Sie und beantworten Sie die W-Fragen.

DW-WORLD.DE

- Start
- Nachrichten
- Politik
- Wirtschaft
- Kultur
- Panorama
- Multimedia
- Deutschland entdecken
- DW-RADIO
  - Frequenzen
  - DX-Seiten
  - Audio on demand
  - Programmvorschau
  - Seewetter
- DW-TV
- Deutschkurse

Das höre ich gerne:

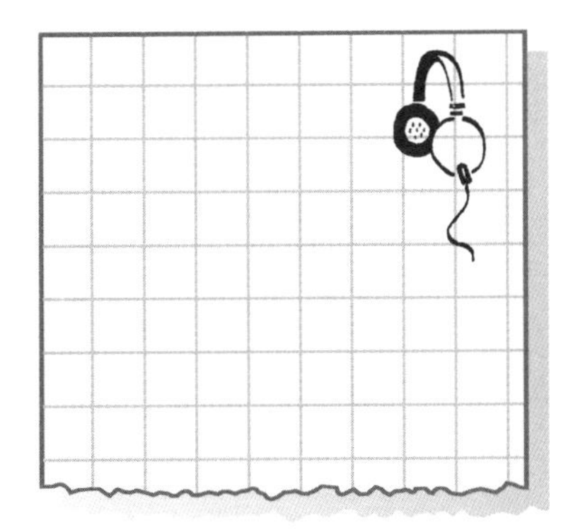

Das lese ich gerne:

Ü 14
a) Welche Informationen gibt es bei der deutschen Welle?
b) Was hören/lesen Sie gern? Notieren und vergleichen Sie.

Tipp: **Lesen und hören = W-Fragen stellen: Wer? Was? Wann? Wo? Wie lange? Wie viel?**

Zeitung lesen und Radio hören im Internet.

Ü 15
Lesen Sie Zeitung und beantworten Sie W-Fragen.

Musik

Ü 16
Wie heißen die Instrumente? Ordnen Sie zu. Benutzen Sie ein Wörterbuch.

1. die Gitarre
2. das Klavier / das Piano
3. die Geige / die Violine
4. das Schlagzeug
5. der Bass
6. das Saxophon
7. die Trompete
8. ...

Datum – Monate – Wochentage

Tipp: **Sagen Sie einmal am Tag auf Deutsch: „Heute ist ... (Wochentag, Datum).“**

Auf Deutsch schreibt man das Datum so:
Tag – Monat – Jahr (TT.MM.JJJJ): 28.7.2012 oder 28.07.2012

Ü 17
Lesen Sie laut.

1.5. → der erste Fünfte / am ersten Fünften

1.5. • 8.5. • 14.7. • 10.7. • 11.9.
7.8. • 31.12. • 1.1. • heute • gestern

Ü 18
Schreiben Sie.

A-________ im *April*________ J-________ im ________
M-________ im ________ -ember________ im ________

Ü 19
a) Schreiben Sie.

b) Wie sagen Sie in Ihrer Sprache?
c) Vergleichen Sie.

Die Woche		
am Mo ________	am Do ________	am Sa ________
am Di ________	am Fr ________	am So ________
am Mi ________		
Das Wochenende = ________ + ________		
Vierzehn Tage = ________ Wochen		

Ü 20
Fragen und notieren Sie.

Geburtstag Wann bist du geboren?
Wann hast du Geburtstag?

Glückszahl Was ist deine Glückszahl?

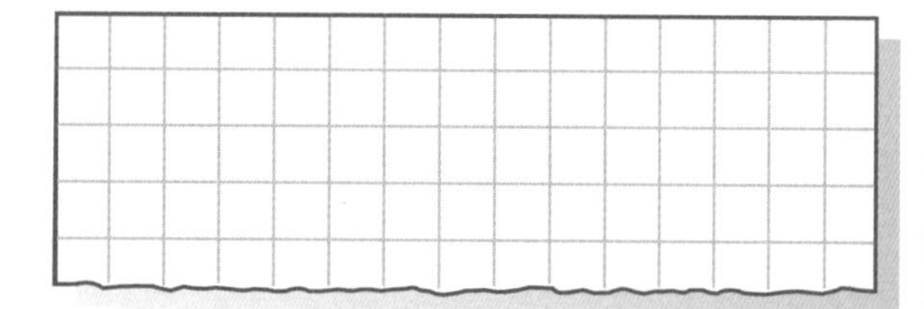

Anweisungen verstehen

Ü 21
Welcher Satz passt? Kreuzen Sie an.

1. [a] Ordnen Sie zu. [b] Kontrollieren Sie.

2.  [a] Notieren Sie. [b] Kreuzen Sie an.

3. 1. 2. [a] Nummerieren Sie. [b] Markieren Sie.

4. [a] Hören Sie. [b] Sprechen Sie.

5. + +, +, –, – – [a] Spielen Sie. [b] Bewerten Sie.

6. [a] Sammeln Sie. [b] Schreiben Sie.

Ü 22
a) Was passt? Schreiben Sie Sätze.
b) Vergleichen Sie mit Kap. 1, A 11.

nachsprechen • den Partner fragen • Informationen suchen
Wörter notieren • einen Dialog machen • Wörter suchen

Ich spreche nach.

____

____

____

Wir ______________

____

Ü 23
Spielen Sie.

Stimmt! • Entschuldigung, welche Seite? • Übung drei?
Wie bitte? • Bitte noch einmal! • Bitte wiederholen Sie das. • Bitte noch einmal.
Sind Sie sicher? • Langsam bitte! • Ich verstehe Sie nicht.
Bitte sprechen Sie lauter. • Stimmt das? • Ist das richtig?

Nehmen Sie das Lehrbuch Seite 18, A13.
Lesen Sie die Namen auf dem Stadtplan vor.
Suchen Sie die Namen mit -gasse. Notieren Sie.
Ordnen Sie alphabetisch.
Wie heißt das erste Wort?

Nehmen Sie das Arbeitsbuch Seite 14, Ü 12.
Lesen Sie den Text.
Wer kommt aus Verona? Markieren Sie.
Wie heißt die Frau? Schreiben Sie.
Wie viele Buchstaben hat das Wort?

Nachfragen

Ü 24
a) Lesen Sie.
b) Was sagen Sie noch? Notieren Sie in Ihrer Sprache und auf Deutsch.

in Ihrer Sprache	auf Deutsch
______________________	______________________
______________________	______________________
______________________	______________________
______________________	______________________

Ü 25
a) Ergänzen Sie in Ihrer Sprache.
b) Welcher Satz gefällt Ihnen? Markieren Sie.

Was ist ______________ auf Deutsch?
Was heißt ______________ (auf Deutsch)?
Wie sagt man ______________ auf Deutsch?
______________, was ist das auf Deutsch?

Grammatik-Korrekturen verstehen

Ü 26
Was ist falsch? Kreuzen Sie an.

1. Das Mozart Quartett spielen Klassik. — [x] a Verb Singular / [ ] b Verb Plural

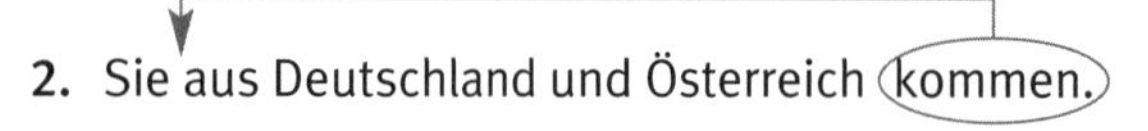

2. Sie aus Deutschland und Österreich kommen. — [ ] a Verb / [ ] b Verb-Position
3. Werner Neugebauer kommst aus Graz. — [ ] a Verb-Endung / [ ] b Verb-Position
4. Werner Neugebauer spielt Violine. Sie kommt aus Graz. — [ ] a Artikelwort / [ ] b Personalpronomen
5. Das Musik ist super. — [ ] a neutrum / [ ] b maskulin
6. Die Konzert ist nicht schlecht. — [ ] a feminin / [ ] b neutrum
7. Die Young-Gods sind eine Band. Eine (Die) Band kommt aus der Schweiz. — [ ] a unbestimmter Artikel / [ ] b bestimmter Artikel

Unbestimmter und bestimmter Artikel: Funktion

Ü 27
Raten Sie: Was ist das?

1

2
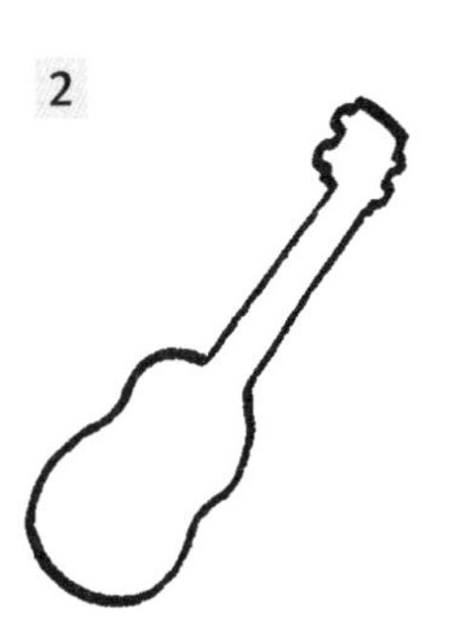

3

4

1. *Das ist ein Mikrofon.*
2. ______
3. ______
4. ______

Nominativ und Akkusativ (Singular)

Ü 28
Spielen Sie. Suchen Sie Wort-Paare.

1. Schreiben Sie 10 Substantive + Artikel aus Kapitel 3; **Beispiel:** „die Gitarre".
2. Fragen Sie einen Partner / eine Partnerin. **Beispiel:** „Hast du eine Gitarre?"
3. Der Partner / Die Partnerin antwortet. **Antwort:** „Ja." ➜ „die Gitarre ✔".
   Antwort: „Nein." ➜ Der Partner / Die Partnerin fragt Sie.
4. Suchen Sie neue Partner.
5. Sieger: „alle 10 Substantive + Artikel ✔"

Ü 29
Ergänzen Sie: bestimmter/unbestimmter Artikel.

1. Die Young Gods sind *eine* Band. *Die* Band kommt aus der Schweiz.
2. Die Young Gods machen ______ Welt-Tour. ______ Welt-Tour startet in Europa.
3. Heute ist ______ Konzert. ______ Konzert beginnt um 20 Uhr.
4. Da ist ______ Bühne. ______ Bühne ist dunkel.
5. Herbert Grönemeyer ist ______ Rocksänger aus Deutschland. ______ Rocksänger singt ______ Lied. ______ Lied heißt „Der Weg" und ist sehr gut.

Ü 30
Wo fehlen die Artikel? Korrigieren Sie den Text.

Hallo, Markus,

heute spielen Young Gods. Konzert fängt an. Band ist super. Musik ist Spitze. Ich sehe Sänger sehr gut. Er spielt auch Gitarre. Einfach Spitze! Hast du CD von Young Gods?!

Hans :-)

______
______
______
______
______
______
______
______

Unbestimmter und bestimmter Artikel: Plural

Ü 31
a) Ordnen Sie: Singular oder Plural?

Musik • Bühne • Konzerte • Jahre • Band • Zahlen
Fragen • Gitarre • Bücher • Monat • Wochen • Sprache

b) Markieren Sie die Pluralendungen.

Singular	Plural
Musik,	*Jahre,*

Tipp: Lernen Sie Singular und Plural immer zusammen:

die Schülerin, die Schülerinnen
der Musiker, die Musiker

das Stück, die Stücke
die Schule, die Schulen

Wörterbuch: **Stück**, das; -e ➜ *das Stück, die Stücke*

Ü 32
Markieren Sie das Subjekt und das Verb.

Mensch

Herbert Grönemeyer ist wieder auf Tour. Er gibt Konzerte in Deutschland und in der Schweiz. Heute ist er in München. Viele Menschen sind da. Das Licht geht an. Das Konzert beginnt. Herbert Grönemeyer singt „Mensch". Viele Leute singen mit. Das Lied ist traurig, aber auch optimistisch.

Ü 33
Ergänzen Sie. Singular oder Plural, bestimmter, unbestimmter oder Null-Artikel?

Musiker • Konzert • Schüler • Musikerin • Schülerin • Mozart-Quartett

Das Mozart Quartett Salzburg

Das „Mozart Quartett Salzburg" spielt Klassik. *Die Musiker* Werner Neugebauer und Mathias Beckmann spielen Violine und Violoncello. ________________ Claudia Hofert und Nanni Zimmerebner spielen Viola und Violine. Sie geben oft ________________.
________________ ist sehr bekannt.

Sie unterstützen Schulen in Afrika. Sie spenden 5 Euro pro CD. ________________ und ________________ in Afrika kaufen dann Bücher und Hefte.

Über Musik sprechen

Band, Orchester, Sänger(in), Komponist(in)	*Instrument*	*Musikstil*	*+ / –*

R 1
a) Welche Musik hören Sie?
b) Erzählen Sie.
c) Bewerten Sie: ++, +, –, – –.

Geburtstage

A

Johann Wolfgang Goethe
28.8.1749

Marlene Dietrich
27.12.1901

Romy Schneider

Herbert Grönemeyer

R 2
a) Wann ist … geboren? Fragen Sie und notieren Sie.
b) Vergleichen Sie und bewerten Sie: ++, +, –, – –.

Anne-Sophie Mutter (*1963) kommt aus Rheinfelden in Deutschland. Mit 5 Jahren nimmt sie Violinunterricht. Mit 14 Jahren spielt sie mit den Berliner Philharmonikern. Mit 22 Jahren ist sie Professorin an der „Royal Academy of Music" in London. Heute ist sie international bekannt. Sie gibt Violinkonzerte in Europa, Amerika, Asien und … Es gibt viele CDs von Anne-Sophie Mutter. Sie spielt Musik von Mozart, Brahms, Schubert, Beethoven und Ravel.

R 3
a) Lesen Sie und notieren Sie: Wer? Was? Wann? Wo?
b) Bewerten Sie: ++, +, –, – –.

Das kann ich

		++	+	–	– –
hören	Ich kann Wochentage und Monatsnamen verstehen.				
	Ich kann internationale Wörter, Namen, Zahlen verstehen.				
lesen und schreiben	Ich kann W-Fragen zu einem Text beantworten und Notizen machen.				
sprechen	Ich kann Zahlen (Datum) verstehen und benutzen.				
	Ich kann über Musik sprechen: „Das finde ich gut/…"				
Wortschatz	Ich kann Wochentage und Monatsnamen auf Deutsch.				
Aussprache	Ich kann lange und kurze Vokale unterscheiden und sprechen.				
Grammatik	Ich kann *ein, eine* und *einen, ein, eine* benutzen.				
	Ich kann Pluralformen von Substantiven (Nominativ).				

R 4
a) Kreuzen Sie an.
b) Fragen Sie den Lehrer / die Lehrerin.

4 Tagesablauf – Arbeit – Freizeit

Am Morgen

Ü 1
Lesen Sie A 1.
Ordnen Sie Fragen und Antworten zu.

1. Steht Sara B. gern auf?
2. Wann fährt die U-Bahn?
3. Wie lange bleibt Sara B. am Morgen liegen?
4. Wo steigt Sara B. aus?

A 5 oder 6 Minuten.
B Nein, sie bleibt gerne noch einen Moment liegen.
C Im Stadtzentrum.
D Genau um halb acht.

1.56
Ü 2
a) Hören Sie A 1b.
Was passiert?
Nummerieren Sie.

1 der Wecker klingelt	___ sie duscht	___ sie bleibt liegen	___ sie steht auf
5 das Wasser kocht	___ sie hört Radio	___ sie macht Kaffee	___ sie isst Cornflakes
9 sie trinkt Kaffee	___ sie liest Zeitung	___ sie rennt	___ sie schließt die Tür

b) Und Sie?
Schreiben Sie.

Der Wecker klingelt. Ich bleibe liegen. Dann …

Im Büro

1.57
Ü 3
Hören Sie A 2.
Was hören Sie?
Kreuzen Sie an.

1. [a] Guten Tag, Frau Huber. [b] Guten Morgen, Frau Huber.
2. [a] Danke, nicht so gut. Und Ihnen? [b] Danke, gut. Und Ihnen?
3. [a] Was machen Sie heute? [b] Was machen die Leute?
4. [a] Und? Alles in Ordnung? [b] Und? Alles okay?
5. [a] Ja, heute Mittag mache ich … [b] Ja, heute Nachmittag mache ich …

Ü 4
Lesen Sie A 2.
Antworten Sie.

1. Was ist Sara Becker von Beruf? ____________________
2. Wo arbeitet Sara Becker? ____________________
3. Was schreibt Sara Becker einmal pro Woche? ____________________

Interview • Tag • geht • antworten • E-Mail • @ • möglich • Dank • An

Ü 5
Ergänzen Sie die E-Mail.

Termin für ____________ (3)

Von: beat.marti____ (1) bluewin.ch
____ (2): theresa.jaggi@t-online.de
Betreff: Termin für ____________ (3)

Guten ____________ (4), Frau Jaggi,
danke für die ____________ (5). Der Termin um 15 Uhr ____________ (6) leider nicht. Ist auch 17 Uhr ____________ (7). Bitte kurz ____________ (8). Vielen Dank (9).

Das Interview

Berliner Abendpost

Ein Tag im Leben von ...

● Herr Kuhn, Sie arbeiten als Nachtportier. Ist das der Traumberuf für Sie?
○ Nein, sicher nicht. Ich habe zwei Berufe. Ich arbeite als Nachtportier und ich bin Student. Ich arbeite in der Nacht im Hotel. Und am Tag studiere ich.
● Was studieren Sie?
○ Ich studiere Philosophie und Mathematik.
● Wann sind Sie in der Uni?
○ Ich bin am Vormittag und am Nachmittag in der Uni. Da besuche ich Kurse und Seminare.
● Und als Nachtportier? Wann arbeiten Sie da?
○ Ich arbeite von 22 Uhr abends bis fünf Uhr morgens.
● Und wann schlafen Sie?
○ Das ist ja das Problem. Ich schlafe nicht genug. Ich schlafe etwa 5 Stunden am Morgen.
● Und was macht ein Nachtportier?
○ Am Abend arbeite ich am Empfang. Und in der Nacht mache ich auch die Bar. Das ist interessant und macht oft Spaß.
● Und was machen Sie in der Nacht?
○ Von eins bis fünf ist nicht viel los. Da habe ich oft viel Zeit für mich. Dann lese ich oder arbeite für die Uni.
● Und verdienen Sie gut?
○ Es geht, es ist genug fürs Studium.

● Haben Sie auch Zeit für Freunde?
○ Leider nicht so viel. Ich treffe Freunde und Kollegen am Abend, zum Essen. Die Freunde und Freundinnen haben dann frei, und ich gehe arbeiten.
● Herr Kuhn, vielen Dank für das Interview.

Sara Becker

Ü 6
Lesen Sie schnell und antworten Sie: Was macht Herr Kuhn am Vormittag, am Nachmittag, am Abend?

Ü 7
Lesen Sie genau. Richtig oder falsch? Kreuzen Sie an.

	R	F
1. Karl Kuhn hat einen Traumberuf.	☐	☐
2. Er studiert und arbeitet als Portier.	☐	☐
3. Er studiert Psychologie.	☐	☐
4. Er arbeitet bis fünf Uhr morgens.	☐	☐
5. Er liest in der Nacht.	☐	☐
6. Er schläft etwa sieben Stunden.	☐	☐
7. Er verdient genug fürs Studium.	☐	☐
8. Er trifft seine Freunde im Hotel.	☐	☐

Ü 8
a) Ergänzen Sie die Fragen.

1. Was *sind* Sie von Beruf ?
2. Was st__________ Sie?
3. Wann s__________ Sie an der Uni?
4. Wann ar__________ Sie als Nachtportier?
5. Wann sch__________ Sie?
6. Was m__________ Sie in der Nacht?
7. Ver__________ Sie gut?
8. Ha__________ Sie Zeit für Freunde?

b) Notieren Sie die Fragen in der Du-Form.

1. Was bist du von Beruf?

Freizeit

Ü 9 Lesen Sie A 8 und ergänzen Sie die Verben.

Samstagmittag: Heute ____________ (1) Sara nicht. Sie ________ ________ (2) und geht im Park ____________ (3). Am Wochenende sind da viele Leute. Sie essen und ____________ (4), sie diskutieren und ____________ (5). Viele ____________ (6) Sport: Sie joggen oder ____________ (7) Fußball. Eine Gruppe ____________ (8) Yoga und da vorne ist ein Konzert. Da links ____________ (9) eine Frau ein Buch, und da rechts ____________ (10) ein Mann. Alle ____________ (11) Zeit. ... Sara ____________ (12) Gabi, eine Freundin.

Ü 10 a) Was machen Sie oft (o)? Was machen Sie selten (s)?

ins Kino gehen ____	tanzen ____	ein Buch lesen ____	Tennis spielen ____
ins Museum gehen ____	fernsehen ____	Briefe schreiben ____	Fahrrad fahren ____
ins Konzert gehen ____	kochen ____	Musik hören ____	____________
ins Theater gehen ____	wandern ____	Fußball spielen ____	____________

b) Schreiben Sie.

Ich gehe oft ins Kino.

1.59

Ü 11 a) Hören Sie A 9 und ergänzen Sie.

● Hallo, Gabi!

○ Hallo, Sara! Wie ____________ ______ (1) dir?

● Danke, sehr gut. Ich habe jetzt einen ____________ (2). Ich ____________ (3) als Journalistin bei der Abendpost. Und du? Was ____________ ______ (4)?

○ Ach, mir geht es schlecht. Ich bin immer noch ____________ (5). Ich finde keine ____________ (6)! Ich ____________ (7) und suche. Aber im Moment ist es schwierig.

● Das tut mir ____________ (8). Du, ich gehe jetzt in die Nationalgalerie. Da ist eine Ausstellung. ____________ du ____________ (9)?

○ ____________________ (10)!

● Und nachher gehen wir noch ins Kino! ____________ du____________ (11)?

○ Ja, ____________ (12). Im Sonycenter läuft sicher ein Film.

b) Schreiben Sie den Dialog in der Sie-Form.

Guten Tag, Frau Bader.

Guten Tag, Frau Becker, wie geht es Ihnen?

Gespräche im Alltag

Ü 12 

Hören Sie A 11.
Was hören Sie?
Kreuzen Sie an.

1

- [a] Ja bitte?
- [b] Bitte?
- [c] Wie bitte?

2

Auf Wiedersehen. Gute Nacht.

- [a] Gute Nacht. Und schlaf gut.
- [b] Gute Nacht, und schlafen Sie gut.
- [c] Gute Nacht. Auf Wiedersehen.

3

- [a] Aber bitte, gern.
- [b] Das freut mich.
- [c] Bitte sehr.

4

- [a] Sehr gut, danke.
- [b] Gut, danke. Und dir?
- [c] Na ja, es geht. Und dir?

5

Guten Abend, Herr Lund.
Das ist meine Frau.

- [a] Freut mich, Frau Rohner.
- [b] Angenehm, Frau Rohrer.
- [c] Freut mich, ich bin Natalie.

6

Ich gehe in die Bar. Kommst du mit?

- [a] Ich habe kein Geld.
- [b] Gerne, aber ich habe kein Geld.
- [c] Ich habe leider keine Zeit.

Vielen Dank.

Ich finde das super. Danke.

Bitte.

Das freut mich.

Kommst du mit?

Gerne.

Ich habe leider keine Zeit.

Ü 13

a) Schreiben Sie Kärtchen und lernen Sie die Ausdrücke.

b) Spielen Sie.

Wie spät ist es?

Ü 14
a) Schreiben Sie die Uhrzeiten in Worten.
b) Lesen Sie laut.

inoffiziell	Uhrzeit	offiziell
___	8.00 / 20.00	___ / ___
___	8.07 / 20.07	___ / ___
___	8.15 / 20.15	___ / ___
___	8.30 / 20.30	___ / ___
___	8.45 / 20.45	___ / ___

Ü 15
Was ist früher? Kreuzen Sie an.

1. a Viertel vor elf — b halb elf
2. a fünf vor acht — b fünf nach acht
3. a fünf vor halb neun — b fünf nach neun
4. a fünf nach fünf — b 06.05
5. a fünf nach sieben — b 15.07
6. a drei Minuten vor drei — b 14.58

Tipp: Uhrzeit lernen

Sehen Sie auf die Uhr: auf der Straße, im Kurs, zu Hause, ...
Sagen Sie die Uhrzeit auf Deutsch.
Fragen Sie Leute: „Wie spät ist es?"

Ü 16
Lesen Sie den Wortpfeil in A 14. Was machen Sie lieber allein, was mit anderen?

Tagesablauf

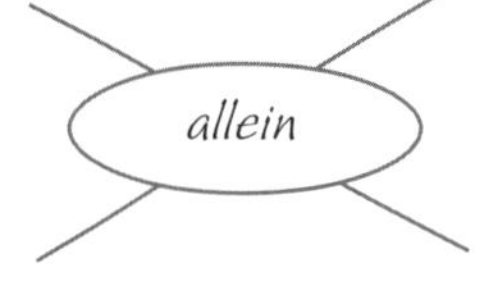

Beruf

Ü 17
Lesen Sie A 15. Was macht ein/eine ... nicht/oft/selten? Schreiben Sie.

Deutschlehrerin • Mathematiklehrer • Journalistin • Journalist • Musiker • Musikerin
Kellner • Kellnerin • Managerin • Manager • Student • Studentin • Nachtportier

Satz: trennbare Verben und Satzklammer

Ü 18
a) Markieren Sie Verb und Präfix.
b) Schreiben Sie den Infinitiv.

Sara Becker steht nicht gerne auf. *aufstehen*

1. Um Viertel nach sieben geht sie los. ______
2. Sie kommt um Viertel vor acht im Zentrum an. ______
3. Sara steigt am Spittelmarkt aus. ______
4. Sara Becker bereitet das Interview vor. ______
5. Im Büro sieht sie die Fotos an. ______
6. Am Abend kauft sie ein. ______

Ü 19
Machen Sie Dialoge mit dem Partner / der Partnerin.

1. ● *Steht* Sara Becker gerne *auf* ?
   ○ Nein.
   ● Und Sie? *Stehen* Sie gerne ______ ?
   ○ *Ich stehe* ______ .
2. ● Wann *steht* Sara Becker ______ ?
   ○ Sie ______ *um 6 Uhr* ______ .
   ● Und Sie? Wann ______ ?
   ○ *Ich* ______ .
3. ● Wann ______ Sara Becker *los* ?
   ○ Um Viertel nach sieben.
   ● Und wann ______ Sie ______ ?
   ○ *Ich* ______ *um* ______ .
4. ● Wann *kauft* Sara ______ ?
   ○ Abends.
   ● Und Sie? Wann ______ ?
   ○ *Ich* ______ .

Ü 20
Schreiben Sie Sätze.

1. klingeln – um 6 Uhr – der Wecker ______
2. aufstehen – nicht gerne – ich ______
3. ich – aufstehen – langsam ______
4. zuerst – die Zeitung – ich – holen *Zuerst* ______
5. dann – machen – das Frühstück – ich *Dann* ______
6. nach dem Frühstück – losgehen – ich ______
7. die Bahn – um 7 Uhr 40 – abfahren ______
8. sie – um 8 Uhr – ankommen – im Zentrum ______

Artikelwörter und Substantiv: „ein-" und „kein-"

Ü 21
Fragen Sie den Partner / die Partnerin.

1. Buch? 2. Gitarre? 3. CD?

Ist das ein Buch? – Nein, das ist kein Buch. Das ist eine Zeitung.

Negation: „nicht" – „kein-"

Ü 22 Ergänzen Sie „nicht" oder „kein-".

Heute arbeitet Sara *nicht*. Sie fährt ________ (1) ins Büro. Sie liest ________ (2) E-Mails und macht ________ (3) Interview. Am Nachmittag geht sie ins Café. Die Bedienung sieht sie ________ (4). Sara sagt: „Entschuldigung!" Die Bedienung kommt. Sara möchte ein Mineralwasser.
Am Abend trifft sie eine Freundin: Gabi. Gabi hat ________ (5) Arbeit. Heute gehen sie ________ (6) ins Kino, sie haben ________ (7) Lust.

Satzbaupläne: Verb und Ergänzungen

Ü 23 Was passt zusammen? Kreuzen Sie an.

	sein	machen	lesen	haben	essen	kaufen
Student						
Musik						
ein Sandwich						
Bücher		✗	✗	✗		✗
Zeit						
einen Salat						
Journalistin						

Ü 24 a) Markieren Sie die Verbformen.

1 Das Licht geht an. Das Konzert beginnt. Die Young Gods sind eine Rockband. Sie machen Musik. Sie spielen Rockmusik. Sie komponieren auch Ballettmusik und sie produzieren CDs. Franz ist der Sänger. Er spielt auch ein Instrument, Gitarre.

2 Sara Becker ist Journalistin. Heute arbeitet sie. Der Wecker klingelt. Sie steht auf. Sie macht das Frühstück.

b) Ordnen Sie die Verben den Satzbauplänen zu. Notieren Sie den Infinitiv.

Subjekt und Verb	Subjekt, Verb und Akkusativ-Ergänzung	Subjekt, Verb und Nominativ-Ergänzung
klingeln	________	________
________	________	________
________	________	________
________	________	________
________	________	________

Tipp: **Machen Sie ein Lernposter: Verb und Ergänzungen**

Subjekt und Verb — *aufstehen, ...*
Subjekt, Verb und Akkusativ-Ergänzung — *einen Brief schreiben, ...*
Subjekt, Verb und Nominativ-Ergänzung — *Journalist/in sein, ...*

Tagesablauf beschreiben

Wann?

Von wann bis wann?

R 1
a) Fragen Sie den Partner / die Partnerin und notieren Sie die Antworten.
b) Bewerten Sie:
++, +, –, – –.

Wie lange?

Wann?

Von wann bis wann?

Wie lange?

weggehen • einladen • aufstehen • mitkommen • ankommen

R 2
a) Ergänzen Sie den Text.
b) Bewerten Sie:
++, +, –, – –.

Am Morgen ________ ich nicht gerne _____ (1). Ich ________ um 8 Uhr von zu Hause _____ (2).
Um Viertel vor neun __________ ich im Geschäft _____ (3). Dann ________ ich meine Kollegin _____ (4).
Ich frage sie: „Ich gehe Kaffee trinken. __________ du _____ (5)?" Und dann ist schon Mittag.

Über Beruf und Freizeit sprechen

Beruf/Arbeitsort: ______________________________

Arbeitszeit: ______________________________

Tätigkeiten im Beruf: ______________________________

Freizeit/Hobbys: ______________________________

R 3
a) Und Sie?
b) Erzählen Sie.
c) Bewerten Sie:
++, +, –, – –.

A

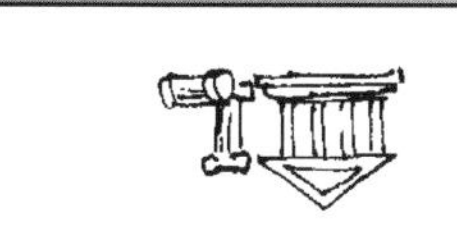

B

R 4
a) Spielen Sie „gemeinsam etwas tun".
b) Bewerten Sie:
++, +, –, – –.

Das kann ich

		++	+	–	– –
hören	Ich kann die Uhrzeit im Radio/Fernsehen verstehen.				
lesen	Ich kann in einem Zeitungsartikel verstehen: Was arbeitet eine Person? Wie lebt sie?				
schreiben	Ich kann eine E-Mail schreiben: Wann? Wo?				
sprechen	Ich kann jemanden begrüßen und verabschieden.				
	Ich kann Fragen zu Beruf und Freizeit stellen und beantworten. Ich kann jemanden einladen.				
Wortschatz	Ich kann Wörter zum Thema „Beruf" und „Freizeit".				
Aussprache	Ich kann die Vokale *a, e, i* sprechen.				
Grammatik	Ich kann trennbare Verben erkennen und benutzen.				
	Ich kann *nicht* und *kein* benutzen.				

R 5
a) Kreuzen Sie an.
b) Fragen Sie den Lehrer / die Lehrerin.

Im Bistro

Ü 1
a) Ordnen Sie zu. Vergleichen Sie mit A 1.

b) Was haben Sie gerne? Markieren Sie und ergänzen Sie.

Kleine Karte

1 **Warme Getränke**	2 **Kalte Getränke**	3 **Kleine Speisen**
Tee (mit Zitrone/Milch)	Orangensaft	Käse-Sandwich
Tagessuppe *3*	Mini-Pizza	Schinken-Sandwich
Kaffee	Limonade (Cola, Fanta)	Apfelsaft
Salami-Sandwich	Cappuccino	Espresso
Mineralwasser	Salat-Sandwich	
______________	______________	______________
______________	______________	______________

Ü 2
Notieren Sie Ihr Frühstück.

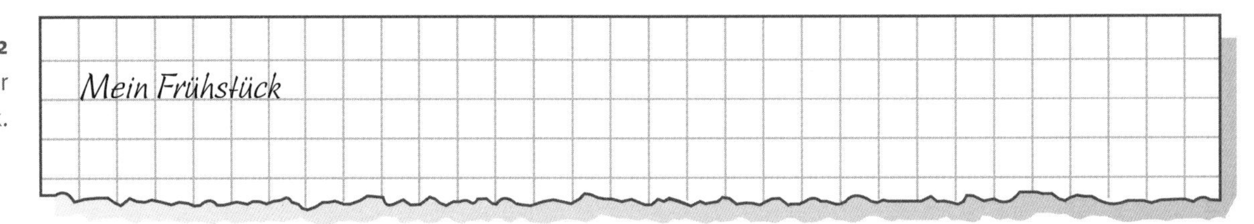

Ü 3
a) Schreiben Sie einen Dialog.

Also, einen Tee, einen Orangensaft, eine Tagessuppe und ein Sandwich mit Schinken.
Ich nehme noch ein Sandwich, mit Salat. • Nein, nicht Schinken, mit Salat.
Guten Tag, was möchten Sie, bitte? • Ist das alles? • Nein, danke.
Mit Zitrone? • Einen Tee, bitte! • Oh, Entschuldigung, ein Salat-Sandwich.
Und ich nehme einen Orangensaft und die Tagessuppe, bitte!

● *Guten Tag, was möchten Sie bitte?*
○ *Ich möchte einen ...*

b) Was passt zusammen? Spielen Sie.

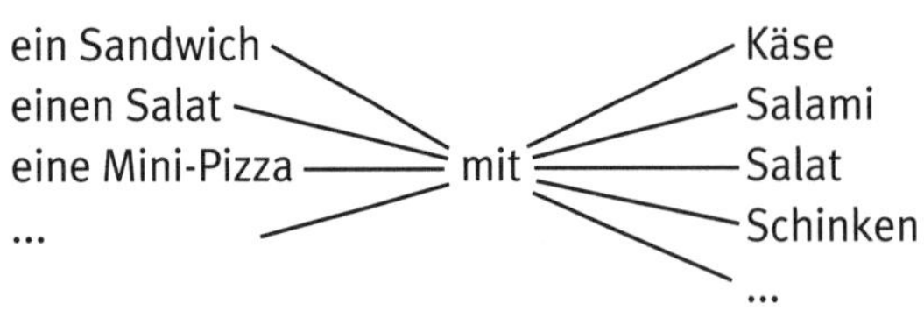

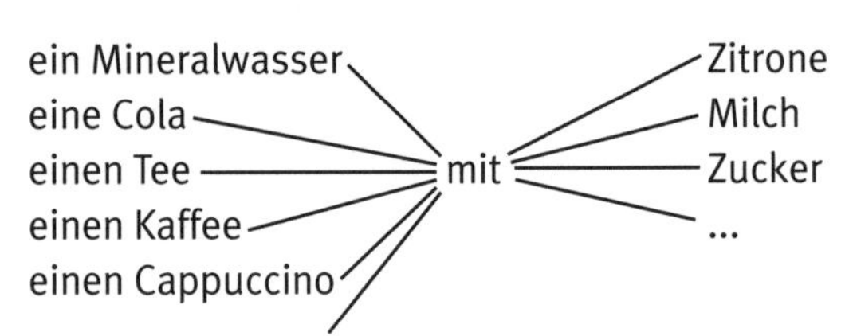

1. Wie spät *ist* es?
2. Kurz vor ______________________ .
3. Ich ______________ noch einkaufen.
4. Morgen ____________ das Kursfest.
5. Kann ich ______________________ ?
6. Gerne! – ___________________ bitte!

Ü 4

a) Hören Sie A 3 Teil 1. Ergänzen Sie.
b) Vergleichen Sie.

A **B**

Zahlen bitte!

Oh, Entschuldigung! Sechs Euro, natürlich ...

Sechs Euro ... und vierzig Cent zurück.

Getrennt bitte.

Also, ein Käse-Sandwich und ein Mineralwasser, macht fünf Euro sechzig.

Das ist für Sie.

Zusammen oder getrennt?

Aber ein Sandwich mit Salat und ein Tee sind zusammen sechs Euro!

Danke schön! Und Sie haben ein Sandwich mit Salat und Tee. Macht zusammen sieben Euro.

Sieben Euro!

Wie bitte?

Ü 5 1.80

Hören Sie A 3 Teil 2. Wer sagt was? Ordnen Sie zu.

Auf dem Markt

1. Wer ist das? *dran*
2. Ich brauche ein Huhn. Ist das frisch? ______________
3. Natürlich! Sehr frisch! ______________
4. Wie viel ist das? ______________
5. Moment mal, 2 Pfund. ______________
6. Dann möchte ich noch eins. ______________
7. Aber gerne! Das kostet dann 12 Euro fünfzig. ______________
8. Was machst du eigentlich? ______________
9. Ich möchte eine Suppe kochen: ______________
10. Hühnersuppe und Gemüse. ______________
11. Komm, wir wollen noch Gemüse kaufen. ______________

Ü 6 1.81

a) Hören Sie A 4. Was ist falsch? Unterstreichen Sie.
b) Hören Sie noch einmal. Was ist richtig? Notieren Sie.

Einkaufszentrum, Supermarkt, Tante-Emma-Laden

Ü 7
Ergänzen Sie die Verben.

fahren • einkaufen • ~~haben~~ • geben • treffen • kaufen • sein • machen

Die Leute _haben_ (1) von Montag bis Freitag wenig Zeit. Sie können nur schnell im Supermarkt ________ (2). Dort ________ (3) es alles, nicht nur Lebensmittel. Am Samstag ________ (4) sie dann ins Einkaufszentrum und ________ (5) den Wocheneinkauf. Natürlich gibt es auch kleine Geschäfte: In der Metzgerei kann man Fleisch und Wurst ________ (6), in der Bäckerei Brot und Kuchen. Auf dem Markt kann man viele Leute ________ (7). Dort ________ (8) die Produkte frisch – aber nicht billig!

Ü 8
Wo kaufen Sie gerne ein, wo nicht? Schreiben Sie.

Wo kaufen Sie ein?	Was kaufen Sie?	Warum?
im Supermarkt		Ich finde ... (nicht) gut. Ich mag ... (nicht).
in der Metzgerei		Die Lebensmittel sind dort billig/teuer.
in der Bäckerei		Alles ist frisch. – ... schmeckt gut.
im „Tante-Emma-Laden“		Man bekommt alles. Ich muss (nicht) ... .
auf dem Markt		Man kann Leute treffen.

Ich mag Supermärkte nicht. Ich kaufe dort nicht gern ein. Da sind viele Leute.
Das Obst ist nicht frisch, das Brot schmeckt nicht.

Das Fest

Ü 9
Lesen Sie A 7. Richtig oder falsch? Kreuzen Sie an.

		R	F
1.	160 Studentinnen und Studenten lernen in Bremen Deutsch.	☒	☐
2.	Sie feiern nächste Woche ein Fest.	☐	☐
3.	Es gibt Musik, Spezialitäten und Informationen über viele Länder.	☐	☐
4.	Die Studenten laden auch Gäste ein.	☐	☐
5.	Das Fest beginnt am Vormittag.	☐	☐
6.	Zuerst gibt es Kaffee und Kuchen.	☐	☐
7.	Nach der Musik aus Thailand gibt es ein internationales Büfett.	☐	☐
8.	Die Disco beginnt um 20.00 Uhr.	☐	☐

Ü 10
Welche Wörter schreibt man groß? Korrigieren Sie.

fest

Von: monica@t-online.de
An: katrin@t-online.de
Betreff: fest

liebe katrin,
hast du am samstag zeit? in der sprachenschule machen wir ein fest, mit musik und spezialitäten aus vielen ländern. kommst du mit?
ich möchte dich ganz herzlich einladen. es beginnt um 16.00 uhr.
du kannst auch später kommen. wichtig für dich: das büfett gibt es ab 7 uhr ;-)) das fest ist sicher ganz toll, mit viel musik.
liebe grüße, bis samstag
monica

Nachfragen

A

Grünkohl mit Pinkel

Was ist das, Grünkohl mit Pinkel?
Was ist da drin?
Was bedeutet „Pinkel"?
Wo isst man das?
Wann gibt es das?

Dresdner Stollen ist ein Kuchen.
Den Kuchen isst man im Dezember, an Weihnachten.
Das ist eine Spezialität aus Dresden.
In dem Stollen sind Früchte und Nüsse.
Das isst man in ganz Deutschland.

B

Das ist ein Gericht.
Das isst man im Norden von Deutschland.
Pinkel ist eine Art Wurst.
Das ist ein typisches Essen im November und Dezember.
Da drin sind Grünkohl, das ist Gemüse, und Pinkel.

Dresdner Stollen

Was ist das, Dresdner Stollen?
Was ist da drin?
Warum heißt das „Dresdner Stollen"?
Wo isst man das?
Wann gibt es das?

Ü 11
Spielen Sie.
A beginnt.

Notizen machen

Tipp: Vor dem Hören: Was erwarten Sie? Was passt zu dieser Situation?

Werbung im Supermarkt: Was kostet das? Preise.
Kochrezept: Was braucht man? Wie viel braucht man? Wie macht man das?
Börsennachrichten: Firmennamen, Zahlen, Währung (Euro, ...).

1

Tomaten ____________
Salat ____________
____
____
____

2

Aktienkurs Adidas ____________
Allianz ____________
____
____
____
____

3

____________ Mehl
____________ Milch
____
____
____

Ü 12 1.85
Hören Sie A 11b.
Notieren Sie die Angaben.

Lebensmittel

Ü 13
Welches Wort passt nicht?

1. der Apfelsaft	die Limonade	der Orangensaft	~~der Essig~~
2. die Butter	der Käse	der/das Joghurt	das Huhn
3. der Spinat	die Zwiebel	die Tomate	der Pfeffer
4. die Orange	der Apfel	die Banane	das Mehl
5. das Brot	der Kuchen	der Reis	das Brötchen

Verpackungen

Ü 14
a) Welche Verpackungen und Maße finden Sie? Markieren Sie.

b) Schreiben Sie Mengen und Maße zu den Verpackungen.

Flasche	*Becher*	*Dose*	*Glas*	*Packung*
Liter				

Tipp: **Zehner-Zahlen sprechen: „klein“ vor „groß“**

15 „fünf / zehn“ 21 „ein / und / zwanzig“

Preise sprechen: Komma (,) = „Euro“

2,80 € „zwei (Euro) achtzig“

Ü 15
a) Schreiben Sie die Zahlen und Preise. Sprechen Sie.

b) Ein Liter kostet 99 Cent. Was ist das? Suchen Sie in Ü 14. Spielen Sie.

30 – dreißig	31 – *einund*	0,79 € – *„79 Cent“*
40 – vierzig	42 – ______	0,85 € – ______
50 – fünfzig	53 – ______	1,23 € – *„eins dreiundzwanzig“*
60 – sechzig	64 – ______	1,54 € – *„ein Euro vierundfünfzig“*
70 – siebzig	75 – ______	8,50 € – ______
80 – achtzig	86 – ______	9,40 € – ______
90 – neunzig	97 – ______	17,49 € – ______
100 – (ein)hundert	101 – *hundert(und)eins*	49,90 € – ______
1000 – (ein)tausend	1001 – *tausend(und)eins*	109,– € – ______

Modalverben: Bedeutung

Ü 16
Ergänzen Sie die Dialoge.

möchten • muss • magst • ~~will~~ • kann

1. ● Was kochst du eigentlich? ○ Ich *will* eine Suppe kochen.
2. ● Wer ist dran? Was ______ Sie? ○ Ein Huhn, bitte.
3. ● Wie spät ist es? ○ Kurz vor fünf.
   ● Oh, ich ______ gehen!
4. ● Was machst du heute Abend? ○ Ich gehe ins Kino.
   ● Oh, schön, ______ ich mitkommen? ○ Ja, gerne.

Ü 17
Welche Antwort passt?

1. Was möchten Sie? → B
2. Kann ich mitkommen?
3. Was möchtest du kaufen?
4. Wo kann man Fleisch und Wurst einkaufen?

A Ich will Gemüse kaufen.
B Ich nehme einen Tee.
C Im Supermarkt oder in der Metzgerei.
D Ja, gerne.

Modalverben: Satzklammer

Ü 18
Schreiben Sie die Sätze in die Satzklammer.

möchten / trinken / Sie / was / ? • einkaufen / er / muss / . • einen Tee / haben / kann / ich / ? • Ingwer / ich / möchte / . • du / das Essen / probieren / musst / !

1.	*Was*	*möchten*	*Sie*	*trinken?*
2.				
3.				
4.				------
5.				

Modalverben: Konjugation Präsens

Ü 19
Ergänzen Sie.

1

● Guten Tag. Was ______ (möcht-) Sie?
○ Guten Tag. Ich ______ (möcht-) gerne einen Tee. Und ______ (können) ich auch ein Sandwich haben?
● Gerne. Und Sie? Was ______ (möcht-) Sie?
■ Ein Mineralwasser, bitte.

2

● Was ______ (wollen) du heute noch machen?
○ Ich ______ (müssen) noch einkaufen. Ich ______ (möcht-) eine Suppe kochen.
● ______ (können) ich mitkommen?

Ü 20
Ergänzen Sie die Modalverben im Präsens.

● Hallo, Stefan. Kommst du heute Abend auch zum Fest?
○ Ja, natürlich. Ich __________ (müssen) (1) noch einkaufen.
Ich __________ (wollen) (2) einen Salat machen.
Und was ______________ (wollen) (3) du kochen?
● Ich ______________ (möcht-) (4) eine Suppe machen.
Ich __________ (müssen) (5) auch noch einkaufen.
__________ (können) (6) ich mitkommen?
○ Ja, klar. Was ______________ (müssen) (7) du noch kaufen?
● Ich brauche noch Gemüse und Fleisch.
○ Ich __________ (müssen) (8) noch Tomaten und Salat kaufen.
Gehen wir?

Ü 21
a) Schreiben Sie mit jedem Modalverb zwei Sätze.
b) Fragen Sie den Partner / die Partnerin.

müssen • können • wollen/möcht-

Ich muss um 6:30 Uhr aufstehen. Wann musst du aufstehen?
Ich muss ...
Ich kann ...

Satz: Position des Subjekts

Ü 22
Schreiben Sie Sätze.

1. klingelt – um 6.30 Uhr – der Wecker ____________________
2. aufstehen – ich – nicht gerne ____________________
3. beginnen – um 8.00 Uhr – der Kurs ____________________
4. das Kursfest – heute Abend – sein ____________________
5. am Nachmittag – noch – müssen – einkaufen – ich ____________________
6. das Kursfest – um 16 Uhr – beginnen ____________________

Einkaufen

A
Sie kaufen ein und brauchen:
4 Tomaten, 2 Zitronen
1/2 Kilo Äpfel, 2 Kilo Kartoffeln, 1 Salat

Sie sind Verkäufer/in:
Sie haben kein Öl.
Es kostet 12,70 €.

B
Sie kaufen ein und brauchen:
200 g Wurst, 1 Huhn, Öl
250 g Käse

Sie sind Verkäufer/in:
Sie haben keinen Salat.
Es kostet 9,20 €.

R 1
a) Spielen Sie mit dem Partner / der Partnerin.
b) Bewerten Sie: ++, +, –, – –.

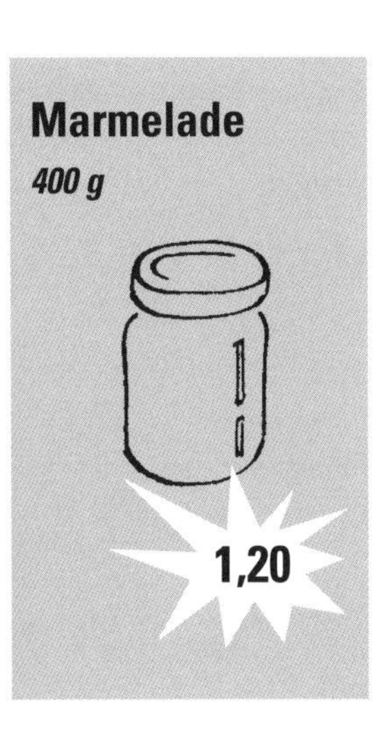

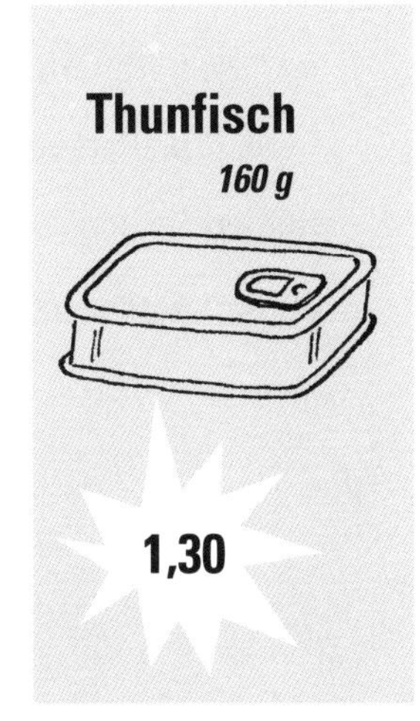

R 2
a) Lesen Sie. Ergänzen Sie die Sätze.
b) Bewerten Sie: ++, +, –, – –.

1. Ein__ __________ Marmelade mit 400 __________ kostet 1,20 Euro.
2. Ein__ __________ Essig (ein halber __________) kostet 2,10 Euro.
3. Ein__ __________ Joghurt mit 500 __________ kostet 1,09 Euro.
4. Ein__ __________ Fisch mit 160 g kostet __________.

Das kann ich

		++	+	–	– –
hören	Ich kann Preise und Mengen (Kilo, Liter ...) verstehen.				
lesen	Ich kann ein Programm (für ein Fest) verstehen.				
	Ich kann in einem Prospekt Preise/Mengen verstehen.				
schreiben	Ich kann einen Einkaufszettel machen.				
sprechen	Ich kann kleine Gespräche führen und nachfragen.				
	Ich kann Lebensmittel einkaufen.				
	Ich kann im Bistro/Restaurant bestellen.				
Wortschatz	Ich kann Wörter zum Thema „Lebensmittel“.				
	Ich kann Wörter zum Thema „Im Bistro/Restaurant“.				
Aussprache	Ich kann die Vokale *o, u, ü, ö* unterscheiden und sprechen.				
Grammatik	Ich kann *können, müssen, wollen, möcht-* im Präsens verstehen und benutzen.				

R 3
a) Kreuzen Sie an.
b) Fragen Sie den Lehrer / die Lehrerin.

Lernen: wie und warum?

Ü 1
a) Was ist falsch? Unterstreichen Sie.
b) Korrigieren Sie.

1. Giovanna wohnt schon vier Jahre in Innsbruck. *Monate*
2. Giovanna hat zur Zeit viel Arbeit. ______
3. Viermal pro Woche besucht sie die Schule. ______
4. Herbert Rathmaier kommt erst in der Nacht nach Hause. ______
5. Giovanna und Herbert sprechen oft Deutsch. ______

1.93

Ü 2
Hören Sie A 2. Nummerieren Sie von 1 – 7.

___ Gemeinsam mit Giovanna sieht Herbert italienisches Fernsehen.
___ Einmal im Monat fahren Giovanna und Herbert nach Italien.
___ Im Auto hört Herbert die Kassette aus dem Sprachkurs.
___ Herbert blättert Zeitungen und Zeitschriften aus Italien durch und liest einen Artikel.
_1_ Herbert Rathmeier besucht den Italienischkurs nicht regelmäßig.
___ Herbert Rathmaier nimmt etwas auf Kassette auf.

Ü 3
a) Was passt zusammen?
b) Lesen Sie und ergänzen Sie die Notizen von A 3.

A

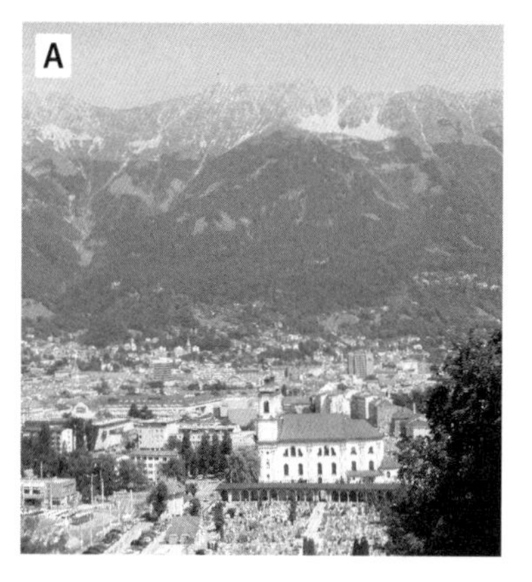

Text ____

B

Text ____

C

Text ____

1
In Innsbruck sehe ich immer Berge. Sie sind so nah bei der Stadt. Die Stadt ist klein, aber es ist viel los. Es gibt viele Studenten. Aber am Wochenende ist die Stadt leer.

2
In der Freizeit kann man in Innsbruck viel machen: Sport in den Bergen, in der Umgebung. Das ist gut. Aber die Stadt ist langweilig.

3
Die Altstadt finde ich schön. Viele Touristen wollen die Stadt sehen und machen Fotos. Das Leben in Innsbruck ist sehr teuer!

Ü 4
a) Interview: Kreuzen Sie an. Ergänzen Sie.
b) Schreiben Sie Antworten.

- ☐ Wann und wo sprichst du Deutsch?
- ☐ Mit wem sprichst du Deutsch?
- ☐ Wo lernst du Deutsch? Im Kurs, zu Hause, ... ?
- ☐ Was machst du gerne: Lesen, schreiben, ... ?
- ☐ Wann schreibst du auf Deutsch?
- ☐ Lernst du auch mit dem Computer? Was machst du da?
- ☐ Hast du einen Lernpartner / eine Lernpartnerin? Warum (nicht)?
- ☐ ...

Im Deutschkurs

Ü 5 (CD 1.95)
Hören Sie A 5.
Richtig oder falsch?
Kreuzen Sie an.

	R	F
1. Im Deutschkurs gibt es vier Stunden Unterricht.	☐	☒
2. Ismail versteht ziemlich viel, aber er kann kaum schreiben.	☐	☐
3. Inci arbeitet gerne allein, das gefällt ihr.	☐	☐
4. Akemi spricht zu Hause auch immer Deutsch.	☐	☐
5. Akemi lernt nicht gerne, sie lernt nur wenig.	☐	☐
6. Giovanna braucht Deutsch für ihre Arbeit.	☐	☐

Ü 6
a) Notieren Sie 5 Aussagen.
b) Sammeln Sie. Wer schreibt was? Raten Sie.

Ich | möchte / kann / darf / darf nicht / muss / muss nicht / will

ziemlich viel verstehen • alles verstehen • täglich eine Stunde lernen
viel schreiben • nur im Kurs Deutsch sprechen • Fehler machen
mit anderen Deutsch sprechen • nur meine Sprache sprechen
die Kassette hören • die Wörter notieren
Wörter lernen • Übungen machen • Aussprache üben
mit dem Computer lernen • Texte auf Deutsch lesen

Ü 7
Ergänzen Sie.

Lehrerin • lesen • Wörter • einer • schneiden • sie • Sätze
die • und • wollen • den • zu • machen

Giovanna, Inci, Akemi *und* (1) Ismail arbeiten in ______ (2) Gruppe zusammen. Sie ______ (3) Zeitungen und Prospekte. ______ (4) suchen Bilder und ______ (5). Bilder und Wörter ______ (6) sie aus. Aus ______ (7) Wörtern machen sie ______ (8), Sätze mit Modalverben. ______ (9) Sätze gehören auch ______ (10) einem Bild. Sie ______ (11) die Sätze korrekt ______ (12) und fragen die ______ (13). Sie hilft weiter.

Ü 8
a) Welches Modalverb passt?
b) Schreiben Sie Sätze.

dürfen • können • müssen • möcht- • wollen

möchte ein Foto machen
______ nichts sehen
______ genau sehen
______ üben
______ lachen

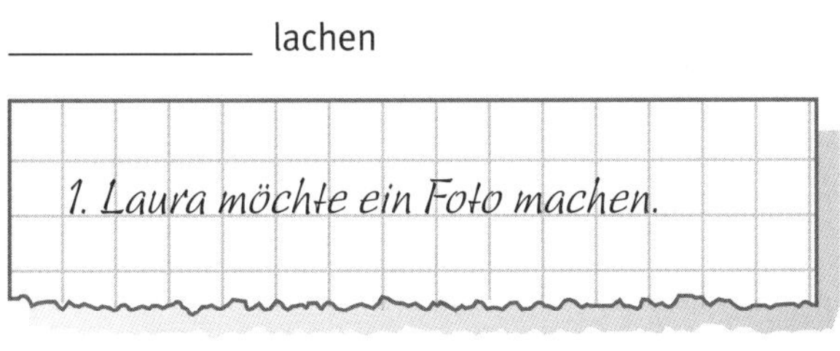
1. Laura möchte ein Foto machen.

Lerntipps

Ü 9
Hören Sie A 8.
Ergänzen Sie.

1 Daniela
1. Wir sprechen viel, und das *gefällt mir* .
2. Ich mache ______________________ auch Notizen.

2 Teresa
3. Es ist immer so viel neu: ______________________, Sätze machen.
4. Und dann mache ich auch die Übungen ______________________.

3 Michael
5. Ich muss auch zu Hause ______________________ arbeiten.
6. Ich will schnell ______________________.

Ü 10
a) Lesen Sie. Notieren Sie Stichwörter aus A 10.

1. „Ich lerne oft zwei, drei Stunden. Dann bin ich sehr müde." *Tipp 2, Pause machen*
2. „Grammatik ist neu, Wörter sind neu, alles ist schwer. Ich muss lernen. Aber was?" ______________________
3. „Ich muss viel wiederholen. Aber ich lerne nicht gerne allein." ______________________
4. „Was kann ich schon, was kann ich noch nicht so gut? Das weiß ich nicht." ______________________
5. „Ich muss eine Prüfung machen und immer wiederholen, wiederholen." ______________________
6. „Ich lerne Wörter, dann mache ich Pause. Nach der Pause lerne ich wieder Wörter." ______________________

b) Notieren Sie ein Problem. Der Partner / Die Partnerin gibt einen Tipp.

Ich möchte die Grammatik verstehen.

Ü 11
Suchen Sie Wörter. Das zweite Wort beginnt mit dem letzten Buchstaben vom ersten Wort. Spielen Sie.

Texte verstehen: auf wichtige Wörter achten

1. ☐ Wann hat die Lernpartnerin Zeit?
2. ☐ Was isst sie gern?
3. ☐ Wie oft möchte sie gemeinsam lernen?
4. ☐ Welche Sprachen spricht sie?
5. ☐ Welche Musik hört sie gern?
6. ☐ Warum will sie gemeinsam lernen?
7. ☐ Wo arbeitet sie?
8. ☐ Welchen Sprachkurs besucht sie?

Ü 12
Karin sucht eine Lernpartnerin. Welche Informationen braucht sie? Kreuzen Sie an.

Tipp: Hören und Lesen planen – welche Informationen brauche ich?

1. Notieren Sie Fragen.
2. Suchen Sie Informationen dazu.
3. Hören oder lesen Sie noch einmal.
4. Kontrollieren Sie die Informationen.

Ü 13
a) Suchen Sie Antworten zu den Fragen in Ü 12. Unterstreichen Sie.

Suche Lernpartnerin!
Hallo! Ich bin Sum Ting aus Hongkong. Ich lese gerne und mag Musik.
Ich spiele auch Gitarre. Ich bin 22 Jahre alt und lerne Deutsch in Berlin.
Der Kurs ist gut, die Lehrerin super. Ich möchte viel sprechen und gemeinsam
lernen, zwei bis drei Mal in der Woche. Am Nachmittag habe ich viel Zeit.
Ich spreche Chinesisch und Englisch. Möchtest du Chinesisch lernen?
Oder Gitarre? Oder wollen wir kochen? Schreib mir, bitte.
@dresse: sum_ting@yahoo.com

b) Notieren Sie Stichwörter.

	Sum Ting	der Lernpartner / die -partnerin
Woher?		
Wann?		
Wie oft?		
Sprache?		
Was möchte sie/er?		

E-Mails schicken

Hallo! • ich bin ... aus .... • ich ... gerne
ich mag ... • ich bin ... Jahre alt • ich lerne ... in ...
der Kurs ist ... • ich möchte ... und ....
... Mal pro ... • ich habe ... Zeit • ich spreche ...
Möchtest du ...? • Schreib mir ... • @dresse:

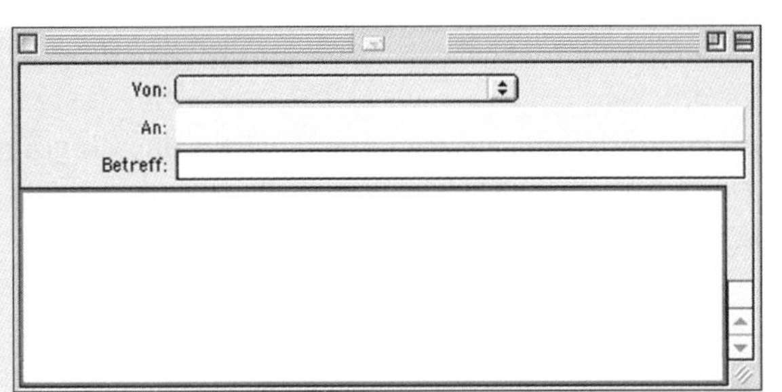

Ü 14
Schreiben Sie eine E-Mail wie Ü 13.

Im Kursraum

Ü 15
Zeichnen Sie.

das Buch	das Blatt Papier	die Zeitung
die Landkarte	der Bleistift	der Kugelschreiber
der Tisch	der Stuhl	die CD

Ü 16
a) Was passt zusammen? Notieren Sie die Wörter von A 14 in Paaren.
b) Vergleichen Sie.

Tipp: **Lernen Sie Wörter in Paaren: Welches Wort gehört für Sie dazu?**

Beispiele: Tisch und Stuhl Papier und Bleistift

das Buch, Bücher: Bücher und Hefte
das Heft, Hefte

der Tisch, Tische: Tische und Stühle
der Stuhl, Stühle

Ü 17
Was passt? Notieren Sie Ausdrücke.

1. abdecken *ein Wort abdecken*
2. aufnehmen *auf Kassette ...*
3. schicken ____
4. planen ____
5. notieren ____
6. wiederholen ____

Lernen mit der CD-ROM

Ü 18
a) Ordnen Sie zu.
b) Kontrollieren sie mit A 16.
c) Was soll man machen? Notieren Sie.

1. einlegen
2. starten
3. anklicken
4. auswählen
5. drücken
6. kontrollieren
7. speichern
8. beenden

A das Kapitel
B die Lösung
C die CD-Rom
D das Programm
E eine Taste
F das Programm
G eine Übung
H die Datei

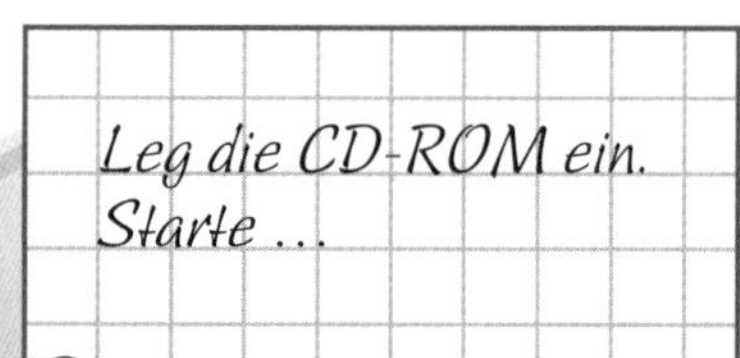
Leg die CD-ROM ein.
Starte ...

Dativ nach Präpositionen: „an“, „aus“, „in“, „mit“, „vor“, „nach“, ...

vor • mit • im • in • am • aus • nach

Ü 19
Ergänzen Sie die Präpositionen.

1. Giovanna Rathmaier kommt _______ Mailand. **2.** Jetzt wohnt sie _______ Innsbruck. **3.** _______ Abend besucht sie einen Deutschkurs. **4.** _______ Sprachkurs liest sie Zeitungen und Prospekte. **5.** Giovanna hat viel Zeit und lernt immer _______ dem Kurs. **6.** Sie lernt zu Hause und arbeitet oft _______ dem Computer. **7.** Heute Abend geht Giovanna _______ dem Kurs ins Kino.

Artikelwörter und Substantiv: Dativ

Ü 20
Antworten Sie. Notieren Sie Präpositionen und unbestimmte Artikel.

1. Wo lernen Sie Deutsch? (→ in) *in einem* Sprachkurs, ______ __________ Schule; ...
2. Wie lernen Sie Deutsch? (→ mit) *mit einer* CD-ROM;
______ __________ Kassette; ______ __________ Computer; ______ __________ Buch;
______ __________ Freund; ______ __________ Lehrerin, ...

Ü 21
Ergänzen Sie Präpositionen, Artikel und Substantiv-Endungen.

1. Ismail lernt Deutsch *in einem Deutschkurs* (in; ein Deutschkurs). **2.** Er kommt ________________ (aus; die Türkei). **3.** ________________ (in; der Kurs) sind vierzehn Teilnehmer. **4.** Sie arbeiten ______ ________________ (mit; ☐ Bücher) und Kassetten. **5.** ________________ (in; die Bücher) sind viele Bilder und Texte. **6.** Manchmal arbeiten die Kursteilnehmer ________________ (in; ☐ Gruppen) zusammen. **7.** Sie lesen Zeitungen und Prospekte. ________________ (aus; die Zeitungen) und Prospekten schneiden sie Bilder und Wörter aus. **8.** ________________ (aus; die Wörter) machen sie Sätze und Texte.

Ü 22
Schreiben Sie Sätze.

1. Akemi / kommen / aus / Japan **2.** Sie / leben / in / Innsbruck **3.** Akemi / lernen / viel / mit / der Computer **4.** Sie / lernen / immer / vor / der Kurs **5.** Zu Hause / sprechen / Akemi / Japanisch / mit / der Sohn **6.** Akemi / lernen / auch / mit / ein Lernpartner

1. *Akemi kommt aus Japan.*
2. ________________
3. ________________
4. ________________
5. ________________
6. ________________

Modalverben: (nicht) dürfen – (nicht) müssen

Ü 23 Ergänzen Sie „(nicht) dürfen" oder „(nicht) müssen".

1. Kommst du mit ins Kino? — Nein, ich ______ noch eine halbe Stunde lernen.
2. Möchtest du lesen? — Nein, ich ______ schlafen.
3. Müssen wir die Aufgabe 5 machen? — Nein, die ______ wir ______ machen.
4. Darf ich mitkommen? — Ja, natürlich ______ du mitkommen!
5. Kann ich hier rauchen? — Nein, Sie ______ hier ______ rauchen.

W Ü 24 Ergänzen Sie die Formen von „müssen", „dürfen", „können" oder „wollen".

1. Die Kursteilnehmer lesen viel, aber sie *müssen* nicht alles verstehen. **2.** Sie sprechen auch viel und natürlich d______ sie Fehler machen. **3.** Sie diskutieren oft und k______ schon viel sagen. **4.** Aber sie m______ auch nach dem Kurs viel Deutsch sprechen und hören. **5.** Giovanna zum Beispiel d______ zu Hause nicht nur Italienisch sprechen. **6.** Heute w______ sie mit Ismail ins Kino gehen, aber er k______ nicht mitkommen. **7.** Er m______ heute noch viel lernen. **8.** Er w______ bald eine Deutsch-Prüfung machen.

Personen auffordern: Imperativ (formell und informell)

Ü 25 a) Lesen Sie die Lerntipps. Markieren Sie die Imperativ-Formen.

Lerntipps
Machen Sie einen Plan. Lernen Sie regelmäßig. Aber lernen Sie nicht zu viel auf einmal. Machen Sie nach einer halben Stunde eine Pause. Wiederholen Sie oft, aber wiederholen Sie immer anders. Arbeiten Sie auch in der Gruppe. Sprechen Sie viel. Hören Sie auch deutsches Radio. Lesen Sie deutsche Texte und schreiben Sie E-Mails an einen Tandem-Partner.

b) Schreiben Sie die Tipps für einen Freund / eine Freundin auf.

Mach einen Plan.
______
______
______
______
______

Tipp: Imperativ 2. Person Singular

Die Imperativ-Formen der „du"-Anrede können oft mit oder ohne „-e" am Ende stehen:
Schreib/Schreibe das neu! — Lern/Lerne doch nicht so viel!

Informationen in Texten suchen

Lerntipps

1. Lernen Sie regelmäßig, am besten jeden Tag.
2. Lernen Sie mit einem Partner / einer Partnerin.
3. Wiederholen Sie nach einem Tag, nach einer Woche und nach einem Monat.
4. Machen Sie einen Plan: Was wollen Sie lernen? Und wie lange?
5. Testen Sie sich: Können Sie nach dem Lernen mehr verstehen oder sagen?
6. Machen Sie Pausen und lernen Sie nach der Pause etwas anderes.

Fredrik schreibt:
Ich lebe in Göteborg in Schweden und lerne Deutsch. Nach dem Sprachkurs muss ich allein lernen, das brauche ich. Wir lernen so viel im Kurs: Grammatik und Wörter, und wir hören Kassetten. Zu Hause schreibe ich alles neu, dann kann ich es erst lernen.
Ich wiederhole jeden Tag, nicht lange, zweimal eine halbe Stunde oder so.
Eine Freundin lernt auch Deutsch. Wir lernen einmal pro Woche gemeinsam. Und wir kontrollieren uns.

R 1
a) Welche Lerntipps finden Sie im Text? Kreuzen Sie an.
b) Bewerten Sie: ++, +, –, – –.

Auf Fragen reagieren

1. „Kommst du mit?" – „Nein, ich habe keine Zeit, ich _________ noch arbeiten."
2. „Kommst du mit? Wir gehen ins Bistro." – „Nein, ich _________ nicht mitkommen."
3. „Möchtest du kein Bier?" – „Doch, aber ich _________ leider kein Bier trinken."
4. „Ich lerne nicht gern allein. _____________ wir gemeinsam lernen?" – „Ja, gern."
5. „Es ist erst 9 Uhr! Wollt ihr schon gehen?" – „Ja, wir ____________ gehen, der Bus fährt."

R 2
a) Ergänzen Sie Modalverben.
b) Bewerten Sie: ++, +, –, – –.

E-Mails schreiben

Hallo, jetzt bin ich _______ (1) Deutschland. _______ (2) Vormittag besuche ich einen Sprachkurs. _______ (3) dem Kurs arbeite ich _______ (4) einer Freundin. Da lernen wir _______ (5) CDs oder Kassetten. Wir hören Dialoge _______ (6) der CD und sprechen sie nach ...

R 3
a) Ergänzen Sie Präpositionen.
b) Bewerten Sie: ++, +, –, – –.

Das kann ich

		++	+	–	– –
hören	Ich kann verstehen: Wie lernen andere Personen?				
lesen	Ich kann einen Text über das Lernen verstehen.				
	Ich kann einfache Lerntipps verstehen.				
schreiben	Ich kann mich in einer E-Mail vorstellen.				
sprechen	Ich kann über „Lernen" sprechen.				
	Ich kann einfache Tipps und Anweisungen geben.				
Wortschatz	Ich kann Wörter zum Thema „Unterricht", „Computer".				
Aussprache	Ich kann Wortakzente und Satzakzente sprechen.				
Grammatik	Ich kann Artikelwörter mit Substantiv im Dativ verstehen und benutzen.				
	Ich kann die Modalverben *(nicht) dürfen* und *(nicht) müssen* verstehen und benutzen .				
	Ich kann Personen (mit/ohne „Sie") zu etwas auffordern.				

R 4
a) Kreuzen Sie an.
b) Fragen Sie den Lehrer / die Lehrerin.

Ferien an der Nordsee

Ü 1
Lesen Sie A 1. Richtig oder falsch? Kreuzen Sie an.

	R	F
1. Ines ist fast 7 Stunden gereist.	☒	☐
2. Sie hat im Zug auf Robert gewartet.	☐	☐
3. Ines hat Robert zwei SMS geschickt.	☐	☐
4. Robert hat eine Antwort geschickt.	☐	☐
5. Ines und Robert haben ein Hotel am Meer gebucht.	☐	☐
6. Das Hotel ist gemütlich.	☐	☐
7. Am Abend haben sie telefoniert.	☐	☐
8. Robert ist immer noch in München.	☐	☐

Ü 2
a) Markieren Sie die Verben.
b) Notieren Sie den Infinitiv.

Ines ist mit dem Zug nach Hamburg gereist (1). Sie hat am Bahnhof zwei Stunden auf Robert gewartet (2). Sie hat ihn überall gesucht (3), aber sie hat ihn nicht gesehen (4). Sie hat dann zwei SMS geschickt (5) – aber er hat nicht geantwortet (6). Dann ist sie allein nach St. Peter-Ording gefahren (7). Ines und Robert haben dort ein Hotel gebucht (8). Am Abend hat Ines mit Robert telefoniert (9). Er ist zu spät zum Flughafen gekommen (10) - schade.

reisen ______
______
______
______
______
______
______

2.9 **Ü 3**
a) Hören Sie A 2. Wie lange dauert das?

1. Hamburg Flughafen bis Hauptbahnhof
______

2. Hamburg Hauptbahnhof bis St. Peter-Ording
______

3. St. Peter-Ording Süd bis zum Hotel (zu Fuß)
______

2.9 b) Hören Sie A 2. Ergänzen Sie.

1. Ich bin ____ ______ zum Flughafen gekommen. ... **2.** Es tut mir wirklich Leid. Aber ich komme ja __________. ... **3.** ________ kommst du an? **4.** Die Maschine geht ____ _____ _____ _____. **5.** Wie lange dauert die Fahrt zum Hauptbahnhof? – ____________ eine halbe Stunde. ... **6.** Um halb zehn geht ein Zug, und dann wieder einer ____ _______ _______. ... **7.** _____ ________ dauert das? **8.** Ungefähr _____ __________. **9.** ____ ________! Und in St. Peter-Ording, wo muss ich da hin? **10.** Unser Hotel ist ______ _____, zu Fuß vielleicht 20 Minuten.

Ü 4
a) Was haben Sie am Wochenende gemacht?
b) Schreiben Sie eine Postkarte.

gewandert
am Wochenende
Fisch gegessen

Liebe/Lieber ...

Ausflug nach Seebüll

Ü 5
Lesen Sie A 5.
Richtig oder falsch?
Kreuzen Sie an.

	R	F
1. Seebüll liegt nah an der Grenze.	☐	☐
2. Nolde hat dort 40 Jahre gelebt.	☐	☐
3. Ines und Robert fahren über Husum nach Niebüll.	☐	☐
4. Sie finden das Museum sofort.	☐	☐
5. Hier sprechen die Leute „Plattdeutsch“.	☐	☐
6. „Plattdeutsch“ verstehen Touristen gut.	☐	☐
7. Robert kauft für Ines den Katalog.	☐	☐
8. Robert fährt zurück ins Hotel.	☐	☐

Ü 6

a) Hören Sie A 6b. Nummerieren Sie.

b) Hören Sie. Markieren Sie den Weg.

A __ kurz vor Klanxbüll nach rechts
B __ da seht ihr dann die Schilder
C __ zurück nach Niebüll
D __ nach links Richtung Klanxbüll
E __ kurz vor Klanxbüll ist eine Kreuzung

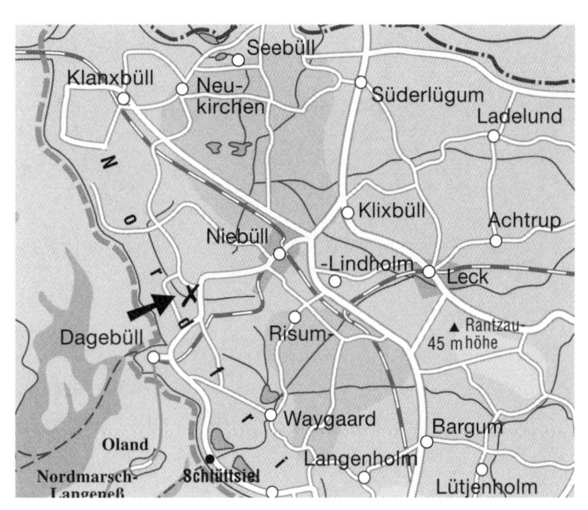

Ü 7
Ergänzen Sie.

Plattdeutsch	Deutsch	Plattdeutsch	Deutsch
Moin, Moin!	*Hallo!*	Veelen Dank!	
Goden Dag!		Jo.	
Op Weddersehen!		Nee.	

Ü 8
Lesen Sie das Tagebuch (A 1-6) und ordnen Sie zu.

1. ______ Am 7. Juni
2. ______ Am 8. Juni
3. ______ Am 10. Juni
4. ______ Am 12. Juni

A telefoniert Robert mit dem Büro.
B fotografiert ein Tourist Ines und Robert.
C schenkt Robert Ines den Ausstellungskatalog.
D fährt Robert sofort nach Hause.
E machen Robert und Ines einen Ausflug zum Nolde-Museum.
F essen Robert und Ines in einem Restaurant Fisch.
G sucht Ines Robert am Hauptbahnhof.
H kommt Robert zu spät zum Flughafen.

Die Rückfahrt

Ü 9
a) Ordnen Sie zu.

A

1. Entschuldigung, ist hier noch frei?

2. Die Fahrkarten bitte!

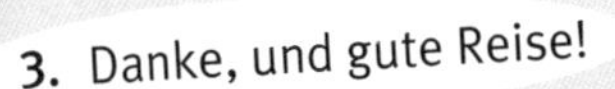

3. Danke, und gute Reise!
4. Nein, hier ist Nichtraucher.
5. Darf ich bitte die Bahncard sehen?
6. Ja bitte. Ich nehme die Tasche weg.
7. Darf man hier rauchen?
8. Nein, bitte lassen Sie sie da.
9. In Hamburg habe ich sie noch gehabt.
10. Hier bitte.

B

b) Schreiben Sie die Dialoge.

● *Entschuldigung, ist hier noch frei?*	● *Die Fahrkarten bitte!*
○ …	○ …
● …	● …

Ü 10 (2.11)
Hören Sie A 8b und notieren Sie.

1. Sie sitzen im Zug. Wie viel Verspätung hat er? ____________
2. Sie fahren weiter nach Dortmund. Abfahrt ________ Gleis ____
3. Sie fahren weiter nach Leipzig. Abfahrt ________ Gleis ____

Ü 11
Ordnen Sie den Fragen 2 Antworten zu.

1. *A,* ___ Entschuldigung, ist hier noch frei?
2. ____ Darf man hier rauchen?
3. ____ Ist das der Zug nach Hamburg?
4. ____ Entschuldigung, wo ist das Bistro?
5. ____ Hat der Zug Verspätung?

A Nein, hier ist leider besetzt.
B Der Zug hat leider kein Bistro.
C Ja, bitte. Ich nehme die Tasche weg.
D Aber sicher, hier ist Raucher.
E Ja, etwa 15 Minuten.
F Nein, der fährt auf Gleis 7.
G Nein, er ist pünktlich.
H Ja, er fährt direkt bis Hamburg.
I Im zweiten Wagen.
J Tut mir Leid, hier ist Nichtraucher.

Ein Miniglossar benutzen

Ü 12

a) Lesen Sie den Brief und sehen Sie das Bild an. Wie reagieren Sie?

```
Liebe Sabine,

am Freitag und am Samstag habe ich in Bremen einen Kurs.
Kann ich am Samstag bei dir schlafen? Hast du Zeit am Sonntag?

Bis bald
Dorothea
```

Was mache ich jetzt? Ich habe schon Besuch am Wochenende!

b) Sich entschuldigen: Markieren Sie wichtige Ausdrücke.

- ● Guten Tag! Was kann ich für Sie tun?
- ○ Mein Name ist Hansen, ich habe reserviert.
- ● Moment, Herr Hansen. Es tut mir Leid, Herr Hansen, ich habe keine Reservierung.
- ○ Ich habe letzte Woche ein Einzelzimmer reserviert.
- ● Tut mir Leid, aber ich habe keine Reservierung – und ich habe leider kein Zimmer mehr.
- ○ Oh, und was mache ich jetzt? Können Sie ...

c) Ergänzen Sie das Miniglossar.

Miniglossar: **sich entschuldigen**
Es tut mir Leid, ich ...
...

d) Schreiben Sie eine Antwort an Dorothea.

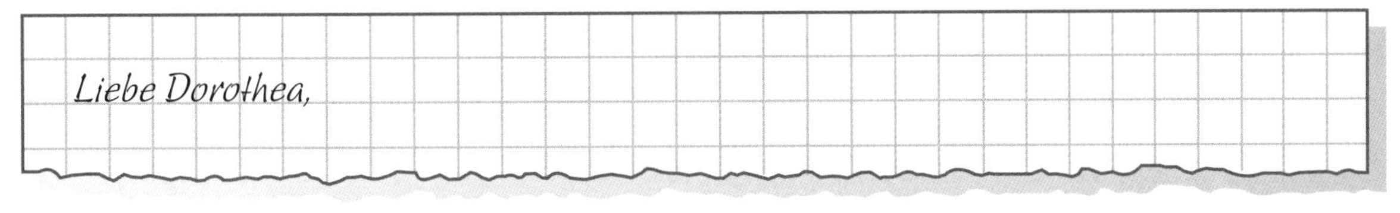

e) Wo können Sie das Miniglossar noch benutzen? Spielen Sie.

- ▶ Sie können nicht in den Kurs. Sie sind krank. Schreiben Sie eine E-Mail.
- ▶ Sie haben eine Einladung bekommen und können nicht kommen. Was sagen Sie?
- ▶ Ihr Partner muss im Zug auf die Toilette. Jemand möchte den Platz. Wie reagieren Sie?

Tipp: Wie mache ich ein Miniglossar?

1. Was ist das Problem – wie reagiere ich?
2. Wichtige Wörter und Ausdrücke sammeln und notieren, z. B. aus einem Dialog.
3. Das Miniglossar ergänzen.
4. Wo/Wann kann ich das Miniglossar benutzen?

Ü 13

a) Sie wollen mit dem Zug nach Berlin fahren. Was möchten Sie wissen? Sammeln Sie Ausdrücke in Kapitel 7.

b) Spielen Sie.

- Reservieren
- Umsteigen
- Schlafwagen
- Fahrpreis

Miniglossar:
am Informationsschalter fragen

Schöne Ferien!

2.14

Ü 14
a) Hören Sie A 14. Ergänzen Sie die Verben.

1. die Sommerferien im Februar *geplant* ________
2. mit Franziska ________
3. die Zeit im August ________
4. im Reisebüro Prospekte ________
5. Prospekte genau ________
6. im Internet Ideen ________
7. Hotel mit Halbpension ________
8. ein Auto ________

Tipp: Verben in Ausdrücken lernen – das Partitzip mitlernen

die Sommerferien planen – Er hat die Sommerferien geplant.

b) Notieren Sie die Verben aus Ü 14a.

1. die Sommerferien planen | *Er hat die Sommerferien geplant.*
2.

Gute Reise!

Ü 15
Ordnen Sie zu.

1. Fahr doch bitte nicht so schnell!
2. Achtung, nächster Halt Hannover. In Hannover haben Sie Anschluss nach Bielefeld und Dortmund ...
3. Meine Damen und Herren, in wenigen Minuten landen wir in Wien. Wir bitten Sie, ...
4. Nächste Haltestelle Domplatz. Umsteigen auf die Linien 4 und 7.
5. Es ist grün, du kannst fahren!
6. Kann ich Ihren Pass sehen, bitte?

A an der Ampel
B auf der Autobahn
C im Zug
D im Flugzeug
E in der U-Bahn
F an der Grenze

Ü 16
a) Was kann man da machen? Lesen Sie und schreiben Sie.

starten und landen • die Fahrkarte kaufen • das Flugzeug nehmen • ein Taxi rufen • parken
das Schiff nehmen • die Freundin abholen • in den Zug einsteigen • im Dutyfreeshop einkaufen
eine Durchsage hören • ein Auto mieten • den Fahrplan lesen • essen und trinken

1. An der Haltestelle kann man ________
2. Am Flughafen kann man ________
3. Am Schalter kann man ________
4. Am Bahnhof kann man ________
5. Im Bistrowagen kann man ________
6. Am Hafen kann man ________

b) Vergleichen Sie.

Über Vergangenes sprechen: Perfekt / Partizip II

Heute Mittag ist Robert gekommen. Am Nachmittag haben wir einen Spaziergang am Meer gemacht. Am Horizont haben wir den Leuchtturm Westerheversand gesehen. Wir sind zum Leuchtturm gewandert. Ein Tourist hat uns gefragt: „Kann ich euch fotografieren?“ Im Hotel haben wir noch lange diskutiert, und wir haben Pläne für die nächste Woche gemacht. Robert hat bald geschlafen.

Ü 17
a) Markieren Sie die Perfekt-Formen.

Regelmäßige Verben: -t		**Unregelmäßige Verben: -en / Verben auf *-ieren*: -t**	
Partizip II	– Infinitiv	Partizip II	– Infinitiv
hat gemacht	– *machen*	*ist gekommen*	–

b) Sortieren Sie die Partizipien und schreiben Sie die Infinitive.

arbeiten • zeigen • fahren • leben • machen • suchen

Ü 18
Ergänzen Sie die Partizipien. Wie heißt das Lösungswort?

1. Heute haben wir einen Ausflug _ _ _ _ _ _ _. (1)
2. Wir sind nach Seebüll _ _ _ _ _ _ _ _. (5, 7)
3. In Seebüll hat Emil Nolde _ _ _ _ _ _. (4)
4. Hier hat er auch _ _ _ _ _ _ _ _ _ _ _. (6)
5. Wir haben das Nolde-Museum lange _ _ _ _ _ _ _. (3)
6. Ein Mann hat uns dann den Weg _ _ _ _ _ _ _. (2)

Lösungswort: _ _ _ _ _ _ _ (1 2 3 4 5 6 7)

Perfekt: Satzklammer

Ü 19
a) Schreiben Sie die Sätze richtig.
b) Markieren Sie die Verbformen.

1. Elena und ich / Ferien in Deutschland / gemacht / haben
   Elena und ich haben Ferien in Deutschland gemacht.
2. wir / mit dem Flugzeug / nach Hamburg / gereist / sind
   Wir ....
3. von Hamburg / mit dem Zug / wir / an die Nordsee / gefahren / sind
   ____
4. wir / ein Hotel am Meer / gebucht / haben
   ____
5. wir / oft stundenlang am Meer / gewandert / sind
   ____

Textreferenz: Personalpronomen (Nominativ und Akkusativ)

Ü 20
Kreuzen Sie an. Wer ist das?

		Ines	Robert	Mann
Ines:	Wo sind wir? Wo fährst du hin?	☐	☐	☐
	Wir wollen doch zum Nolde-Museum!	☐	☐	☐
Robert:	Ja, ja, ich weiß. Ich kenne den Weg.			
Ines:	Ach was! Du bist falsch gefahren. Ich frage den Mann ...	☐	☐	☐
	Entschuldigung bitte, wir suchen das Nolde-Museum.	☐	☐	☐
Mann:	Ah ja. Das ist nicht hier. Fahren Sie zurück nach Niebüll.	☐	☐	☐
Ines:	Vielen Dank.			
Robert:	Und? Wo müssen wir jetzt hin?	☐	☐	☐
Ines:	Ich weiß nicht ...	☐	☐	☐
Robert:	Wie bitte??? Du hast ihn doch gefragt!	☐	☐	☐

Ü 21
Ergänzen Sie die Personalpronomen.

Ines schreibt ins Tagebuch:

1. *Ich* bin allein in St. Peter-Ording. Robert ist nicht gekommen. **2.** Ich habe ________ überall am Bahnhof gesucht, aber ich habe ________ nicht gesehen, oder er hat ________ nicht gesehen.
3. Heute Abend rufe ich ________ an.

Am Abend am Telefon:

● **4.** Hallo, Robert, wo bist ________ ? **5.** Ich habe ________ überall gesucht!

○ **6.** ________ bin leider noch in München, ________ bin zu spät zum Flughafen gekommen.

Verb: Konjugation Präsens (2. Person Plural)

W **Ü 22**
Ergänzen Sie die Formen von „sein".

Ines und Robert reden mit Peter und Susanne über die Ferien. Peter fragt sie:

Peter: *Seid* (1) ihr mit dem Zug oder mit dem Auto gefahren?

Ines: Ich ________ (2) mit dem Zug gefahren und Robert ________ (3) mit dem Flugzeug gekommen.

Peter: Wann ________ (4) ihr zurückgekommen?

Robert: Ich ________ (5) schon am Donnerstag zurückgekommen.

Ines: Ja, und ich ________ (6) am Samstag zurückgefahren.

Ü 23
Schreiben Sie die Postkarte.

Karte an Peter und Susanne:
müssen an die Nordsee fahren;
Hotel Neptun in St. Peter-Ording = toll;
fahren bis zur Kirche, dann sieht man das Hotel;
im Hotel-Restaurant: gut essen können
müssen Nolde-Museum besuchen

Lieber Peter, liebe Susanne,
ihr müsst ...

Viele Grüße, Robert und Ines

Den Weg beschreiben

A

1. Sie haben in Achtrup ein Auto gemietet und möchten auf die Insel Oland. Fragen Sie nach dem Weg.

2. Sie wohnen in Langenholm. Erklären Sie Ihrem Partner den Weg nach Seebüll.

B

1. Sie wohnen in Achtrup. Erklären Sie Ihrem Partner den Weg auf die Insel Oland.

2. Sie möchten einen Ausflug nach Seebüll machen. In Klixbüll haben Sie Probleme. Fragen Sie nach dem Weg.

R 1
a) Spielen Sie mit der Karte aus Ü 6.
b) Bewerten Sie: ++, +, –, – –.

Reisen

lesen • baden • fahren • ~~reservieren~~ • buchen • schlafen • mieten
essen • frühstücken • diskutieren

Dieses Jahr haben wir den ganzen Juli für die Sommerferien *reserviert* (1). Wir haben auf der Insel Sylt ein Hotel mit Halbpension ______________ (2). Wir sind mit dem Zug nach Hamburg ______________ (3). Dort haben wir ein Auto ______________ (4) und sind weiter nach Sylt ins Hotel gefahren. Wir haben am Morgen lange ______________ (5) und dann ______________ (6). Am Mittag haben wir am Meer Fisch ______________ (7) und am Nachmittag haben wir im Meer ______________ (8). Ich habe zwei Krimis ______________ (9). Am Abend haben wir oft noch lange mit Freunden ______________ (10).

R 2
a) Ergänzen Sie.
b) Bewerten Sie: ++, +, –, – –.

1. starten	einsteigen	landen	parken
2. Auto fahren	an der Ampel stehen	die Fahrkarte kaufen	einen Parkplatz suchen
3. den Pass zeigen	Geld wechseln	eine Durchsage hören	im Meer baden
4. Einfach, bitte.	Guten Appetit!	Die Fahrkarte bitte.	Hin und zurück.
5. am Hafen warten	wandern	den Fahrplan lesen	das Schiff nehmen

R 3
a) Was passt nicht? Markieren Sie.
b) Bewerten Sie: ++, +, –, – –.

Das kann ich

		++	+	–	– –
hören	Ich kann Durchsagen und Wegerklärungen verstehen.				
lesen	Ich kann einfache Tagebuchtexte verstehen.				
schreiben	Ich kann über Vergangenes schreiben.				
sprechen	Ich kann den Weg beschreiben.				
	Ich kann einfache Gespräche auf Reisen führen.				
	Ich kann über Vergangenes, z. B. über die Ferien, sprechen.				
Wortschatz	Ich kann Wörter zum Thema „Reisen" und „Urlaub".				
Aussprache	Ich kann die Murmelvokale und den Konsonanten „r" sprechen.				
Grammatik	Ich kann Perfektformen von regelmäßigen Verben verstehen und benutzen.				
	Ich kann Personalpronomen im Nominativ und Akkusativ benutzen.				

R 4
a) Kreuzen Sie an.
b) Fragen Sie den Lehrer / die Lehrerin.

8 Wohnen

Die Turmwohnung

Ü 1
Hören Sie A 2 und notieren Sie.

1. Wie lange hat Herr Probst auf dem Münsterturm gelebt? ______
2. Wie viele Zimmer hatten Herr und Frau Probst? ______
3. Wie hoch ist der Münsterturm? ______
4. Wie viele Touristen sind letztes Jahr nach Bern gekommen? ______
5. Wie viele Stufen hat der Turm? ______

Ü 2
Ergänzen Sie.

besucht • erzählt • gegangen • gesehen • gestiegen • haben • hatten
vergessen • verkauft • war • war

Herr Probst ______ (1) Turmwächter im Berner Münster. Er und seine Frau ______ (2) 14 Jahre in einem Turm gewohnt. Die Wohnung ______ (3) etwa auf 50 Meter Höhe und sehr groß. Sie ______ (4) eine Küche, ein Bad und ein WC. Vom Wohnzimmer aus haben sie die Berner Alpen ______ (5). Herr Probst hat den Touristen Eintrittskarten ______ (6) und ihnen etwas über die Geschichte des Münsters und über Bern ______ (7). Etwa 70000 Touristen haben das Münster ______ (8) und sind auf den Turm ______ (9). Vor ein paar Jahren ist Herr Probst in Pension ______ (10). Er und seine Frau haben den Turm aber nicht ______ (11).

Ü 3
a) Was macht Herr Probst wo? Ordnen Sie zu.

1. *E* In der Küche ...
2. ____ Im Wohnzimmer ...
3. ____ Im Büro ...
4. ____ Im Schlafzimmer ...
5. ____ Im Bad ...
6. ____ Im Flur ...
7. ____ Auf dem Balkon ...

A genießt er die Aussicht.
B steht er auf.
C duscht er.
D zieht er die Schuhe aus.
E kocht er für Gäste.
F arbeitet er am Computer.
G schreibt er Briefe.
H geht er ins Bett.
I isst er mit seiner Frau und den Gästen.

b) Was machen Sie wo? Schreiben Sie.

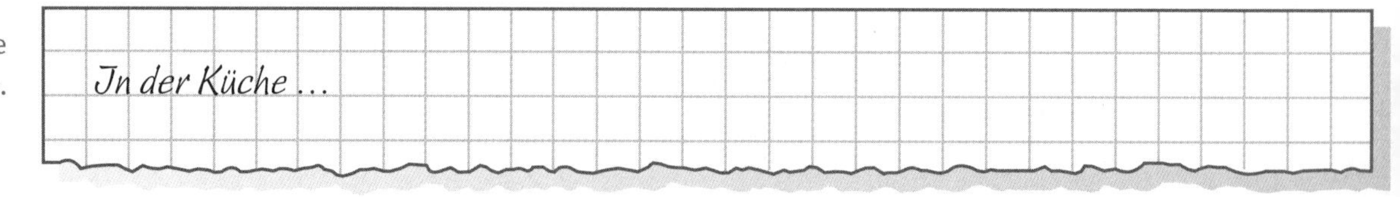

Wohnen in Bern

1 *Kunstmuseum Bern*	2 *Bärengraben*	3 *Einstein-Haus*
Sonderausstellung Paul Klee Dienstag 10–21 Uhr Mittwoch bis Sonntag 10–17 Uhr Montag geschlossen	 Sommer 09.00–18.00 Uhr Winter 09.00–16.00 Uhr	Kramgasse 49 Erinnerungsstätte an den Physiker und Humanisten Albert Einstein (1879-1955) Dienstag – Freitag 10.00–17.00 Samstag 10.00–16.00

Ü 4

a) Sie sind an einem Sonntag in Bern. Was können Sie besuchen?

Berner Rösti

Rezept für 1 Person
4 Kartoffeln
100 g geriebener Emmentaler-Käse
Salz und Pfeffer
20 g Butter

Die Kartoffeln grob reiben. Die Kartoffeln und den Käse vermischen und mit Salz und Pfeffer würzen. Die Butter in eine Pfanne geben und erhitzen. Die Kartoffeln dazugeben, mit einem Löffel etwas zusammenschieben und andrücken. Beide Seiten braun braten.

b) Sie kochen für 4 Personen Rösti. Schreiben Sie einen Einkaufzettel.

Ella Z.	R	F
1. Sie ist ein Stadtmensch.	☐	☐
2. Sie lebt jetzt auf dem Land.	☐	☐
3. Sie arbeitet zu Hause.	☐	☐

Otfried H.	R	F
4. Seine Eltern wohnen in Hamburg.	☐	☐
5. Die Wohnungen in Bern sind teuer.	☐	☐
6. Er lebt allein.	☐	☐

Susanna C.	R	F
7. Susanne hat eine 3-Zimmerwohung.	☐	☐
8. Die Kinder haben nicht weit in die Schule.	☐	☐
9. Die Wohnung ist sehr ruhig.	☐	☐

Ü 5 2.21

Hören Sie A 5. Richtig oder falsch? Kreuzen Sie an.

in einem Bauernhaus	am Stadtrand	groß	Balkon	zu Fuß
in einer 1-Zimmerwohnung	im Zentrum	klein	Bad	mit dem Fahrrad
in einem Haus	auf dem Land	hell	Aussicht	mit dem Auto
in einem Studentenheim	in der Altstadt	dunkel	Heizung	mit der S-Bahn
...	in einer Siedlung	laut	...	mit dem Bus
	...	leise		...
		billig		
		teuer		
		...		

Jn einem Bauernhaus auf dem Land
Vorteile: Der Bauernhof ist groß und billig.
Nachteile: Die Wohnung hat keinen Balkon. Jch muss mit dem Bus in die Stadt.

Ü 6

a) Kombinieren und schreiben Sie.
b) Ergänzen und vergleichen Sie.

8

In der Siedlung

2.24

Ü 7 Hören Sie A 7b. Ergänzen Sie.

1

- ● Das Wohnzimmer finde ich originell.
- ○ Originell? Mir gefällt es __________ (1).
- ● Mir ________ (2).
- ○ Sieh mal: Das Sofa ist _______ (3) und _______ (4), der Sessel _______ (5) und die Wände sind ______ (6). Das passt nicht zusammen. Und dann der Boden _______ (7) und der Teppich ______ (8), und dazu der Sessel _____ _______ (9), und die Lampen ...

2

- ● Hast du das __________(1) da hinten gesehen? Wie gefällt es dir?
- ○ Das finde ich __________ (2)! Das da gefällt mir auch.
- ● Und das _______ (3) – ziemlich _______ (4). Wo ist das wohl?
- ○ In Italien, in Rom. Das ist ein Film-Foto, „Roman Holiday", 1953!

3

- ● Habt Ihr keinen _________ (1)?
- ○ Doch, hier. Ganz modern ohne Knöpfe.
- ● Und die _____________ (2)?
- ○ Wir haben ________ (3). Das ist sehr praktisch. Früher haben wir mit _____ (4) geheizt ...
- ■ Entschuldigung, wo ist die __________ (5)?
- ● Wie bitte?
- ■ Ich suche die Toilette.
- ● Ach so. Im _____ (6), erste ____ (7) rechts.

4

- ● Schön, wirklich schön. ___________ (1)!
- ○ Danke, uns gefällt es auch. Also hier im ________________ (2) ist noch nicht alles fertig. Der ______________ (3), der Stuhl und das _________________(4) – das ist zu viel.
- ● Und da vorne, ist da der ___________ (5)?
- ○ Ja, da ist gleich die Autobahn.

Ü 8 Ordnen Sie zu.

1. Entschuldigung, wo ist die Toilette?
2. Gefallen die dir die Fotos?
3. Ich gratuliere!
4. Habt ihr keinen Keller?

A Die finde ich super!
B Doch, doch. Da muss man den Lift nehmen.
C Im Flur, zweite Tür links.
D Danke! Ich bin noch nicht ganz zufrieden.

Ü 9 a) Suchen Sie Paare.

altmodisch • eckig • gemütlich • hoch • kalt • leer • modern • neu
niedrig • oval • sauber • alt • schmutzig • ungemütlich • voll • warm

altmodisch – modern

b) Schreiben Sie einen Dialog und spielen Sie.

das Sofa • der Sessel • die Lampe • der Teppich • der Herd • die Küche • das Kinderzimmer • der Balkon

- ● Das Sofa ist eckig.
- ○ Nein, es ist oval.

- ● Die Küche finde ich dunkel.
- ○ Ich finde sie ...

Ein Bild beschreiben

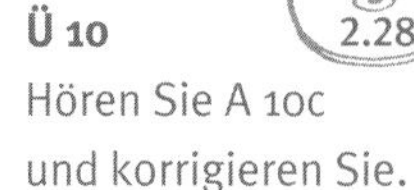

Ü 10
Hören Sie A 10c und korrigieren Sie.

1. Villen am Hügel – ein Bild von ~~Susanne~~ Münter. 
2. Auf einem Hügel stehen drei Häuser. Der Hügel ist grün. Die Linie des ______
3. Hügels fällt von links unten nach rechts unten. ______
4. Sie teilt das Foto diagonal: oben der Himmel, unten der Hügel, in der ______
5. Mitte die Bäume. Die Häuser halten sich am Himmel fest. Sie sehen ______
6. nicht wie Villen aus. Sie sind blau, stehen eng zusammen. Drei Häuser ______
7. haben zwei Stockwerke. Bei einem Haus sieht man eine Garage. ______
8. Die Fassaden sehen blau aus, die Türen sind schwarz, die Dächer ______
9. braunrot. Vor dem gelben Himmel stehen sie wie Silhouetten. ______
10. In den Hügel zeichnet Gabriele Münter auch Bäume: Laubbäume, ______
11. Tannenbäume – die Bäume sind sehr abstrakt. (...) ______

Texte schreiben

Ü 11
a) Ordnen Sie die Sätze.
b) Markieren Sie wichtige Wörter und Ausdrücke.

Roy Lichtenstein, Bedroom in Arles, 1992

___ An der Wand hängen Bilder.
___ Der Tisch ist klein und eckig.
___ Das Bild heißt auf Deutsch „Schlafzimmer von Arles".
___ Mir gefällt das Bild.
___ Der Boden ist grau.
___ Die Wand rechts ist gestreift.
_1_ „Bedroom in Arles".
___ Man sieht ein Schlafzimmer, ein Bett, zwei Stühle und einen Tisch.
___ Hinten an der Wand ist ein Fenster.
___ Das Bild hat Roy Lichtenstein 1992 gemalt.
___ Ich finde die Möbel schön.

Tipp: Vor dem Schreiben:

Was will ich schreiben? → Sammeln Sie Ideen in der Muttersprache.
Wie heißt das auf Deutsch? → Sammeln Sie deutsche Wörter und Ausdrücke.
Wie sagt man das auf Deutsch? → Suchen Sie Mustertexte.

Nach dem Schreiben
Ist alles richtig? → Lesen Sie den Text noch einmal: Artikel, Plural, Verb-Endungen, ...?

Farben, Möbel und Gegenstände

Ü 12
a) Sehen Sie das Bild A 13 an. Ergänzen Sie die Farben.

Die Sessel sind __________ (1). Das Bett ist __________ gelb (2). Der Schrank ist dunkel __________ (3). Der Tisch ist __________ (4). Der Fußboden ist grau __________ (5). Die Wand ist __________ (6). Die Tür ist __________ blau (7).

b) Ergänzen Sie.

blau + gelb = *grün*

schwarz + weiß = __________ (1)

__________ (2) + blau = hellblau

rot + schwarz = __________ (3)

rot + __________ (4) = orange

rot + __________ (5) = braun

__________ (6) + __________ (7) = dunkelgrün

__________ (8) + __________ (9) = rosa

Ü 13
Welche Substantive passen zu den Verben? Ergänzen Sie.

1 ▼ nichts tun — *Fernseher*
2 ► sehen — __________
3 ► sitzen — __________
4 ► am Tisch sitzen — __________
5 ▼ essen — __________
6 ▼ kochen — __________
7 ► arbeiten — __________
8 ▼ schlafen — __________

Räume und Häuser

Ü 14
a) Ordnen Sie Substantive und Verben aus Ü 13 zu.
b) Ergänzen Sie.

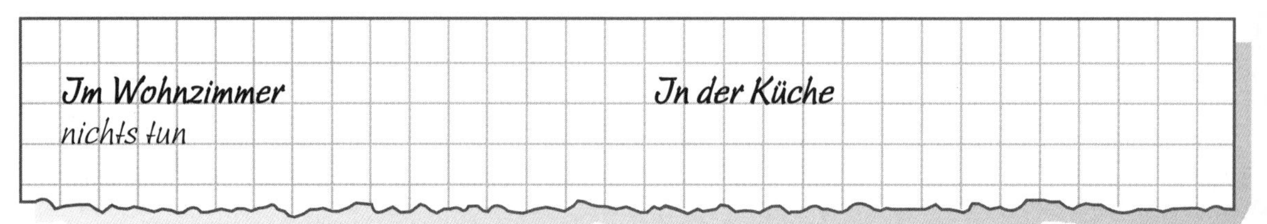

Ü 15
2.29
Hören Sie A 14b. Markieren Sie je 3 Fehler in Text 1 und 2.

1
Zu vermieten ab sofort
1-Zimmerwohnung
Zentrum
Mit Balkon, ohne Bad.
450 € inkl. NK
Tel. 8 36 31 97 ab 20 Uhr.

2
Suchst du Kontakt? Magst du Ruhe und schöne Aussicht? Wir leben am Stadtrand in unserem neu renovierten Bauernhaus. Ein großes **Zimmer** (ca. 30 m²) ist ab sofort frei. – 200 Euro.
Tel. 0175 6732319

Partizip II: trennbare Verben – nicht trennbare Verben

Ü 16
a) Wie heißt das Partizip II? Ordnen Sie: trennbar oder nicht trennbar?

auf~~wachsen~~ • einkaufen • be~~zahlen~~ • einladen • besuchen
vergessen • vorbereiten • umziehen

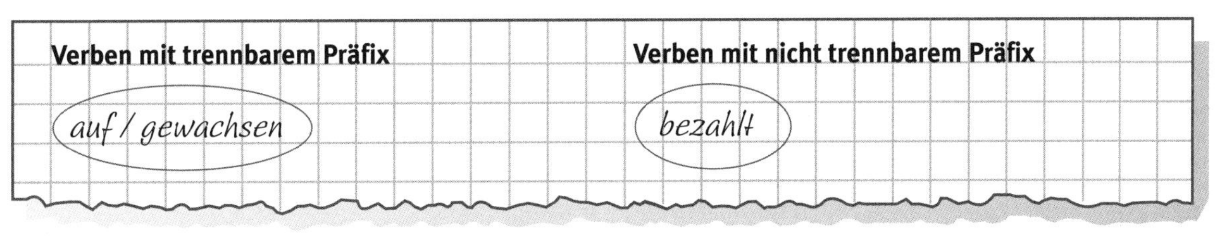

Verben mit trennbarem Präfix	Verben mit nicht trennbarem Präfix
auf / gewachsen	*bezahlt*

b) Ergänzen Sie.

1. Barbara ist in München *aufgewachsen* (aufwachsen). **2.** Hier hat sie auch lange ____________ (leben). **3.** Aber sie hat viel Miete ____________ (bezahlen). **4.** Jetzt wohnt sie in Berlin. Vor einem Jahr ist sie ____________ (umziehen). **5.** Barbara hat die Freunde in München aber nicht ____________ (vergessen). **6.** Barbara hat die Freunde oft ____________ (besuchen). **7.** Jetzt macht sie ein Fest in Berlin. Die Freunde aus München hat sie natürlich auch ____________ (einladen). **8.** Sie hat das Fest gut ____________ (vorbereiten) und viel ____________ (einkaufen). **9.** Jetzt freut Barbara sich auf die Party und auf Peter, den Freund aus München. Sie hat ihn lange nicht ____________ (sehen).

Über Vergangenes sprechen: Perfekt mit „haben" oder „sein"

Ü 17
a) Ergänzen Sie die Fragen.

b) Fragen Sie den Partner / die Partnerin.

1. wohnen: ⊙ Wo *hast* du früher *gewohnt*?
2. gehen: ⇒ Wohin ________ du dann ____________?
3. umziehen: ⇒ Wann ________ du ____________? Und wohin?
4. studieren: ⊙ Wo ________ du ____________?
5. kommen: ⇒ Wann ________ du nach Deutschland ____________?
6. bleiben ⚠: ⊙ Wie lange ________ du in Deutschland ____________?

Ramón: in Spanien aufgewachsen – dort in einer kleinen Wohnung gelebt – dann nach Deutschland gezogen – in München studiert – in den Ferien in einem Büro gearbeitet – fünf Jahre in München geblieben – danach nach Berlin gegangen

Ü 18
Schreiben Sie einen Text über Ramón.

Über Vergangenes sprechen: Präteritum von „haben" und „sein"

Ü 19
Ergänzen Sie „war-" oder „hatt-".

Susanna und die Kinder Mischa und Eva haben gestern ein Fest gemacht. Eine Freundin, Katharina, ist nicht gekommen. Susanna und Katharina telefonieren:

● Katharina, wo *warst* (1) du gestern?
○ Ich ____________ (2) bei einem Freund.
● Aber ich habe auf dich gewartet.
○ Oh, das tut mir Leid, da ____________ (3) ein Stau auf der Straße!
● Ein Stau? Um wie viel Uhr ____________ (4) das?
○ Um neun Uhr abends.
● Warum hast du nicht angerufen?
○ Ich ____________ (5) keine Zeit.
● Erzähl!
○ Also, das ____________ (6) so: ...

Ü 20
a) Wie war die Wohnung von Herrn Probst? Beschreiben Sie.

b) Wie war früher Ihre Wohnung? Erzählen Sie.

im Turm • groß • viele Zimmer: zwei Zimmer und ein Büro, Küche, Bad und WC
Aussicht sehr schön • Balkon rund um die Wohnung

WC Büro Schlafzimmer Flur Wohnzimmer Küche Bad

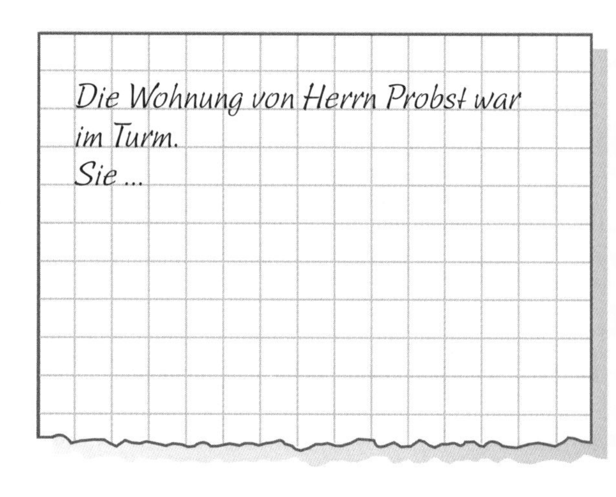

Satz: Ja-/Nein-Frage mit „nicht" oder „kein-"

Ü 21
a) Ergänzen Sie die Fragen.

b) Fragen Sie den Partner / die Partnerin.

1. *Wohnen Sie nicht in der Stadt?* — Doch, ich wohne in der Stadt, im Zentrum.
2. *Ist die Wohnung ...* — Nein, sie ist nicht zu laut.
3. ______________________ — Doch, sie hat einen Balkon, aber er ist klein.
4. ______________________ — Doch, die Miete ist sehr hoch.
5. ______________________ — Nein. Ich suche keine neue Wohnung.
6. ______________________ — Doch, ich bin ein Stadtmensch.

Eine Wohnung beschreiben

R 1
a) Fragen und antworten Sie.
b) Bewerten Sie:
++, +, –, – –.

1. das Dach	der Keller	das Erdgeschoss	das Regal
2. rund	groß	eckig	grün
3. die Treppe	der Spiegel	der Herd	das Sofa
4. links	rechts	dunkel	vorne

R 2
a) Welches Wort passt nicht? Kreuzen Sie an.
b) Bewerten Sie:

Über Vergangenes sprechen

1. Monika K. ____ auf dem Land ____________ (aufwachsen). **2.** Dort ____ sie 18 Jahre ________ (leben). **3.** Dann ____ sie nach Berlin ______________ (umziehen). **4.** Am Anfang _____ sie in einem Studentenheim __________ (wohnen). **5.** Dort ____ sie nicht lange ____________ (bleiben). **6.** Mit einer Freundin __________ sie eine 2-Zimmmer-Wohung __________ (mieten). **7.** Monika und Rita _____ am Abend oft ______________ (ausgehen). **8.** Beide ________ kein Geld ____________ (verdienen). **9.** Sie ________ ihre Möbel __________ (verkaufen). **10.** So __________ sie ihre Miete ____________ (bezahlen).

R 3
a) Ergänzen Sie die Verben im Perfekt.
b) Bewerten Sie:

Das kann ich

		++	+	–	– –
hören	Ich kann verstehen: Wer hat wann und wo gewohnt?				
lesen	Ich kann einen einfachen Text über das Wohnen verstehen.				
schreiben	Ich kann einen Text über ein Bild schreiben.				
sprechen	Ich kann über Wohnen und Wohnungen sprechen.				
Wortschatz	Ich kann Wörter zum Thema „Wohnen“ und „Farben“.				
Aussprache	Ich kann die Konsonanten *b-p*, *d-t*, *g-k* aussprechen.				
Grammatik	Ich kann Perfekt-Formen von trennbaren und nicht trennbaren Verben und Präteritum-Formen von *haben* und *sein* verstehen und benutzen.				
	Ich kann Ja-/Nein-Fragen mit *nicht* oder *kein-* verstehen und auf die Fragen antworten.				

R 4
a) Kreuzen Sie an.
b) Fragen Sie den Lehrer / die Lehrerin.

9 Einladen – Kochen – Essen

Die Einladung

Ü 1
Geburtstag: Was ist Ihnen wichtig? Kreuzen Sie an und ergänzen Sie.

- ☐ eine Torte essen
- ☐ Geschenke bekommen
- ☐ einen Anruf bekommen
- ☐ ein Essen mit Freunden
- ☐ Blumen bekommen
- ☐ E-Mails/Karten von Freunden
- ☐ ein Fest feiern
- ☐ Sekt trinken
- ☐ ______________________
- ☐ ______________________
- ☐ ______________________

Ü 2
a) Ordnen Sie zu.
2.37 b) Hören Sie A 2. Vergleichen Sie.

1. Claudia Höfer.
2. Es ist alles okay, danke. Und bei dir?
3. Ah, fein, du kommst also?
4. Nein, das ist nicht nötig.
5. Helga und Martha und du. Petra kann nicht kommen, sie hat Nachtdienst. Und Stefan hat zwei Kollegen eingeladen.
6. Ja, schön. Bis Samstag. Tschüs!

A Es geht. Du, ich habe eure Einladung bekommen, für nächsten Samstag. Danke.
B Hallo, Claudia, da ist Christine. Wie geht's denn so?
C Aber das mache ich gerne. Übrigens, wer kommt denn noch?
D Also dann sehen wir uns am nächsten Samstag, fein.
E Tschüs!
F Na klar, hör mal, an deinem Geburtstag!! Und kann ich was mitbringen? Ich kann dir einen Kuchen backen.

Ü 3
a) Bereiten Sie ein Telefonat vor.
b) Spielen Sie.

A
Sie sind bei Claudia Höfer eingeladen. Sie sind am 8. Juni nicht da. Sie machen ein paar Tage Urlaub. Danach möchten Sie Claudia besuchen.

B
Sie sind bei Claudia Höfer eingeladen. Sie können erst später kommen. Sie haben eine Feier im Büro. Aber Sie kommen sicher. Informieren Sie Claudia.

C
Sie sind bei Claudia Höfer eingeladen. Sie möchten mit Ihrem Freund / Ihrer Freundin kommen. Fragen Sie Claudia.

Ü 4
2.38 a) Hören Sie A 3: Was ist falsch? Unterstreichen Sie.
b) Korrigieren Sie.

1. Und das habe ich dir mitgebracht. *Ihnen*
2. Das ist eine Kollegin, Christine Berger. ______________________
3. Was kann ich Ihnen bringen? ______________________
4. Und du, Christine, was trinkst du? ______________________
5. Zum Wohl! Wo ist eigentlich Stefan? ______________________
6. Heute kocht der Chef für uns. ______________________
7. Komm, wir bringen ihm ein Bier. ______________________
8. So ein Mist! Claudia, komm bitte. ______________________

Die Speisekarte

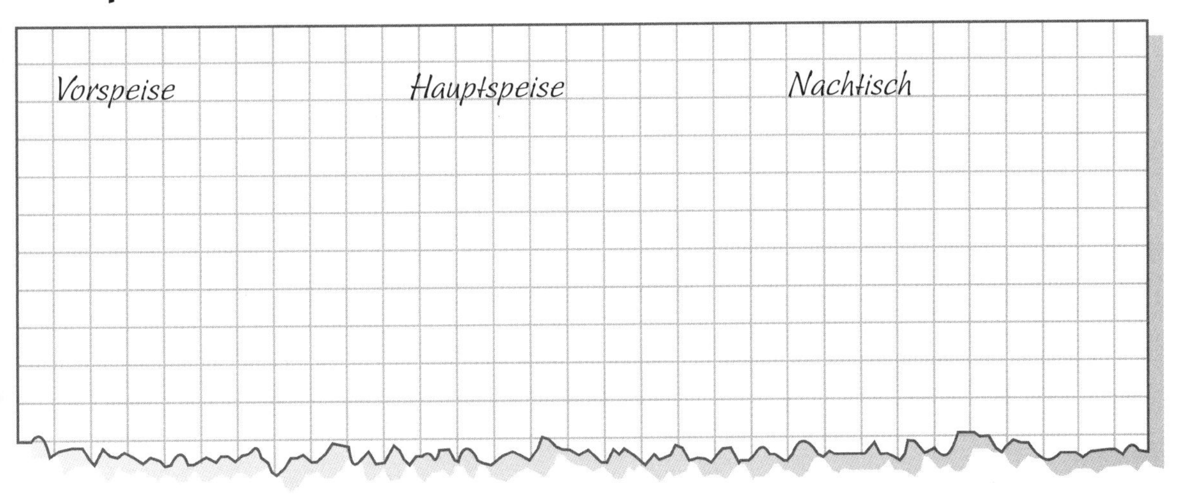

Ü 5
Was essen Sie gern? Notieren Sie.

1. _O_ Ich empfehle Ihnen die „Forelle blau".
2. ___ Probier doch einmal „geräucherte Forelle".
3. ___ Heute gibt es Obstkuchen, ganz frisch!
4. ___ Nimm „Gemüse überbacken", da ist kein Fleisch drin.
5. ___ Haben Sie schon mal Hühnerschnitzel probiert?
6. ___ Den Suppentopf habe ich schon mal gegessen, der schmeckt phantastisch.

Ü 6
Wer spricht, der Ober (O) oder ein Freund (F) ?

1. „Forelle", was ist das?
2. Warum heißt das „Forelle blau"?
3. Wie schmeckt das?
4. Und der Salat? Was ist da drin?

A Karotten, grüner Salat, Tomaten, alles ganz frisch.

B „Blau" heißt, man kocht die Forelle mit verschiedenen Gewürzen. Sie wird dann blau.

C „Forelle" ist ein Fisch.

D Das kann man nicht sagen, man muss probieren.

Ü 7
Was passt zusammen?

● Alles voll! Erst in einer Stunde wird ein Tisch frei.
○ Und? Was machen wir jetzt?

1. ☐ Wir suchen ein anderes Restaurant.
2. ☐ Wir gehen eine Stunde spazieren.
3. ☐ Wir gehen nach Hause und rufen den Pizza-Service .
4. ☐ Wir kaufen was im Supermarkt.
5. ☐ Wo gibt es Musik? Wir tanzen.
6. ☐ ______________________

Ü 8
Welche Vorschläge finden Sie gut? Ergänzen und vergleichen Sie.

9

Imbiss

2.40

Ü 9
Was hören Sie in A 8? Kreuzen Sie an.

1. ☐ Das ist sehr gut.
2. ☐ Es geht, ich habe schon besser gegessen.
3. ☐ Ich finde das ganz toll.
4. ☐ Schmeckt phantastisch.
5. ☐ Das schmeckt mir nicht.
6. ☐ Super!
7. ☐ Sehr fein.
8. ☐ Das mag ich nicht.

Ü 10
Welche Karte passt zu Christines Geburtstag?

1 Frohe Ostern!

2 Wir gratulieren!

3 Alles Liebe und Gute!

4 Alles Gute zum Geburtstag!

5 Frohe Weihnachten!

6 Gute Fahrt!

7 Gute Reise!

8 Herzlichen Glückwunsch!

Ü 11
Ordnen Sie. Vergleichen Sie mit A 10.

___ Bis bald,
_2_ leider warst du nicht da.
___ Christine fährt mit nach Hamburg!
___ Und du?
___ Dann haben wir am Dönerstand gegessen und gefeiert.
___ Das war ein Geburtstag!
___ deine Claudia

_1_ Liebe Petra,
___ Stefan hat gekocht, alles ist angebrannt.
___ Und dann: Tanzen bis in den Morgen.
___ Und im „Alt-Leipzig" war kein Platz.
___ Hast du auch Lust?
___ Stefan hat mir ein Wochenende in Hamburg geschenkt!

Ü 12
„Sie" und „du": Schreiben Sie.

SIEzen

1. Können Sie mir das Brot geben?
2. *Was* ____________________?
3. Nehmen Sie noch ein Bier?
4. ____________________
5. Wie findest du den Döner?

DUzen

1. *Kannst du mir* ____________________?
2. Was möchtest du trinken?
3. ____________________?
4. Isst du gern vegetarisch?
5. ____________________?

Texte kürzen

Gesund essen – viel trinken

Oft essen wir im Stress, selten haben wir genug Zeit. Das Frühstück ist eine Tasse Kaffee im Stehen, das Mittagessen ein Imbiss in einer Pause, das Abendessen gibt es beim Fernsehen. Aber Essen braucht Zeit. Nur so können Sie Ihr Essen genießen.
Gesund essen fängt mit Trinken an: Viel Wasser, Tee und Fruchtsäfte sind wichtig, 2–3 Liter pro Tag. Trinken Sie immer wieder, nicht nur beim Essen. Essen Sie oft Kartoffeln, Reis, Nudeln und Brot, besser noch Vollkornbrot. Und vergessen Sie das Gemüse nicht! Gemüse schmeckt auch roh sehr gut. Essen Sie manchmal Fleisch, aber nicht jeden Tag. Fisch ist besser als Fleisch. Genau so ist es mit Milch und Käse. Essen Sie lieber Joghurt, das ist besser für den Körper. Achten Sie auf Öl und Butter, nehmen Sie nur wenig. Und wenig Zucker: Genießen Sie ruhig einmal einen Kuchen oder eine Torte, aber einmal in der Woche ist genug. Obst schmeckt auch süß und ist sehr gesund.

- *Stress, Pause*
- *viel Wasser*
- *Fisch und Fleisch*
- *wenig Öl*
- *Obst ist gesund*

wenig
manchmal
oft
jeden Tag

Ü 13
a) Teilen Sie den Text in Abschnitte. Vergleichen Sie.

b) Notieren Sie nach einem Muster – oder ganz anders!

Mit Textbausteinen schreiben

50 Jahre Firma Weiss & Co.
Das wollen wir mit Ihnen feiern!
Sa, 14. Mai, ab 14.00 Uhr
Im Garten oder in der Kantine
Bitte um Antwort:
Mail: irene.weiss@vol.de

Petra ist 30!
Wir machen ein Fest.
27. Nov, 20.00 Uhr
Gasthaus „Zum Schiff“
Petra weiß nichts !!!
lukas_graf@hotmail.com

Ü 14
Sie können nicht kommen. Schreiben Sie eine Karte oder E-Mail.

Sehr geehrte Frau Weiß,

herzlichen Dank für Ihre
...

Vielen Dank / Danke für ...

Ich habe ... bekommen

Es tut mir Leid, ich kann / Leider kann ich ...

Am 8. Juni habe ich / An dem Tag muss ich ...

Schade, ich habe ...

Hoffentlich ...

Lieber Lukas,

ich habe deine Einladung
...

Mit freundlichen Grüßen
Ihr(e)

Bis bald!
Liebe Grüße
dein(e)

Kochen und Essen

Ü 15
Welche Verben passen? Schreiben Sie.

gießen • kochen • rühren • schneiden • würzen

______ ______ ______ ______ ______

Den Tisch decken

Ü 16
Was stimmt auf dem Bild nicht? Unterstreichen Sie.

Zwei Personen sitzen am Tisch. Sie essen. Auf dem Tisch stehen zwei Teller, zwei Schüsseln und ein Topf. In einer Schüssel ist Salat. Es gibt auch Brot, Blumen und eine Flasche Wein. Man kann auch eine Flasche Wasser sehen.
Der Mann und die Frau haben ein Glas in der Hand, vielleicht sagen sie „Zum Wohl".

Ü 17
Welches Wort passt? Schreiben Sie mit Bleistift.
Ä = AE
Ü = ÜE
ß = SS

WAAGRECHT ▶
1. Aus ... macht man Butter, Käse und Joghurt.
2. Messer, ... und Löffel
5. Die Sauce ist kalt. Ich muss sie ... .
8. Es sind keine Getränke da: Kannst du sie ... ?
9. ... macht die Speisen süß.
12. Ich trinke viel Wasser, oft ...-wasser.
13. Viele Speisen würzt man mit Pfeffer und ... .
15. Er isst gesund, er isst oft Gemüse und ... .
16. Oft gibt es zum Frühstück ein ... .
17. Für die Sauce braucht man eine ... Tomaten.
18. Vor dem Essen: Ich muss den Tisch ... .
19. In der Metzgerei gibt es Fleisch und ... .
21. Ich habe heute nichts gegessen, ich habe ... .
22. Das Gemüse muss man mit ... waschen.
23. Nimm, es ist genug da. – Nein danke, ich bin ... .
24. Sie mag keinen Reis, sie isst lieber ... .
25. Aus Milch macht man ... .
26. Nach dem Essen: Ich muss den Tisch ... .

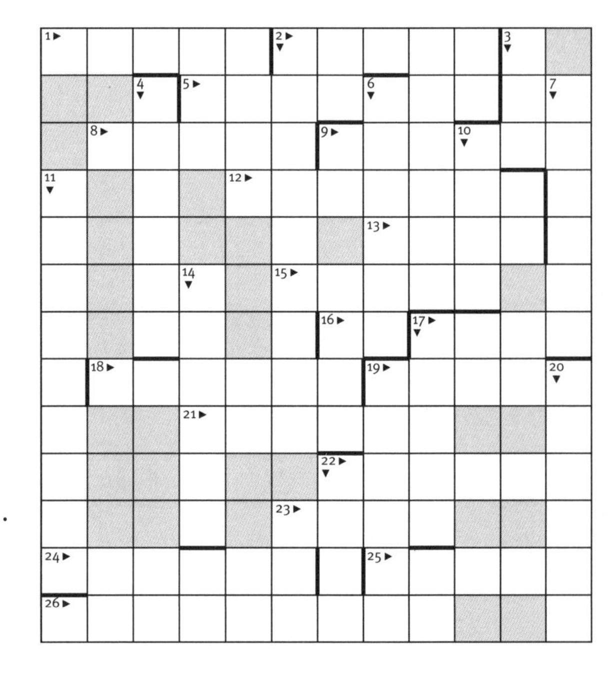

SENKRECHT ▼
2. Ich habe Zeit, das Essen schmeckt super: Ich kann es ... .
3. Getränk, meist heiß
4. Machst du dein Essen selbst? Kannst du gut ...?
6. Viele Leute essen zum Frühstück ... .
7. Zitrone und ... .
10. Er kocht nicht gern, er isst lieber ... .
11. Kochen und essen finde ich angenehm, ... nicht.
14. Ich möchte einen Kaffee. Ich muss mir einen ... .
17. Ich habe nichts getrunken, ich habe ...
20. Er liebt Nachspeisen, besonders Kuchen und ... (Pl.).
22. Am Abend esse ich gerne kalt, nicht ... .

Textreferenz: Personalpronomen (Dativ)

Claudia hat Geburtstag. Stefan schenkt _________ (1) ein Wochenende in Berlin. Christine, die Freundin von Claudia, ist auch da. Claudia hat _________ (2) eine Einladung geschickt. Herr Kohl ist ein Kollege von Stefan. Claudia bietet _________ (3) einen Aperitif an. Er hat _________ (4) Blumen mitgebracht. Claudia freut sich, die Blumen gefallen _________ (5) sehr gut. Stefan ist in der Küche. Claudia und Christine bringen _________ (6) einen Sekt.

Ü 18
Ergänzen Sie „ihr" oder „ihm".

1. Ah, da ist Christine. Ich biete ... einen Aperitif an.
2. Guten Abend, Herr Groß. Was darf ich ... anbieten?
3. Hallo, Tanja, wie geht's ...?
4. Peter und Barbara feiern. Wir schenken ... ein Bild.
5. Wo ist Peter? Hast du ... das Geschenk gegeben?
6. Entschuldigung, können Sie .... bitte das Glas geben?

Ü 19
Ergänzen Sie die Personalpronomen.

Satzbaupläne: Verb und Ergänzungen

Maria hat Freunde eingeladen. Sie hat eine Lasagne gekocht.
20.00 Uhr: Thomas schenkt ihr Blumen und sie bietet ihm einen Sekt an. Rolf und Elena bringen ihr eine Flasche Wein mit. Elena und Maria trinken Wein. Rolf trinkt einen Sekt.
20.45 Uhr: Die Lasagne ist angebrannt! Maria, Elena, Thomas und Rolf holen eine Pizza ...

Ü 20
a) Markieren Sie die Verben.

Subjekt, Verb und Akkusativ-Ergänzung	*Subjekt, Verb, Dativ- und Akkusativ-Ergänzung*
einladen, ...	

b) Ordnen Sie die Verben aus Ü 20a. Ein Verb bleibt übrig.

Claudia und Stefan machen eine Party. _______ (1) haben viele Freunde. Sie haben _________ (2) eine Einladung geschickt. Herr Kohl ist ein Kollege von Stefan. _______ (3) bringt Claudia Blumen mit.

Herr Kohl: Ich danke _________ (4) für die Einladung. Das habe ich _________ (5) mitgebracht.

Claudia: Vielen Dank. Was kann ich _________ (6) zum Trinken anbieten? Sekt, Wein, ...?

Herr Kohl: Geben _______ (7) _______ (8) bitte ein Glas Wasser.

Claudia: Und du, Christine, was kann ich _______ (9) anbieten?

Christine: _______ (10) kannst du ein Glas Sekt geben.

Ü 21
Ergänzen Sie die Personalpronomen.

Textreferenz: Possessiv-Artikel

Ü 22
Ersetzen Sie die unbestimmten Artikel durch Possessiv-Artikel.

mein • meine • sein • seine • dein • deine • ihr • ihre • Ihr • Ihre

1. Stefan ist ein Freund. *Stefan ist mein Freund.*
2. Claudia ist eine Freundin. *Claudia ist* ______
3. Er hat einen Kollegen eingeladen. ______
4. Claudia: „Ist das ein Kollege?“ ______
5. Das ist eine Cola. ______
6. Ist das ein Bier? ______
7. Das sind doch keine Döner! ______
8. Ich suche Geschenke. ______

Ü 23
Ergänzen Sie die Possessiv-Artikel.

Barbara feiert heute i_______ (1) Geburtstag. Sie hat i_______ (2) Freunde eingeladen.

Peter kocht heute; das ist s______ (3) Geschenk für Barbara.

● Vielen Dank für d______ (4) Einladung! Ich habe m_______ (5) Freundin mitgebracht.

○ Schön! Peter, das ist m_________ (6) Kollege Thomas und s________ (7) Freundin Monika.

■ Freut mich. Was suchst du, Barbara?

○ Ich suche m______ (8) Sekt.

Ü 24
Schreiben Sie fünf Fragen. Fragen Sie den Partner / die Partnerin.

Wo ist	sein-	Freund/Freunde
Hast du	ihr- (Plural)	Buch/Bücher
Suchst du	dein-	Heft/Hefte
Wann kommt	ihr-	Kollegin/Kolleginnen
Wie ist	mein-	Telefonnummer/Telefonnummern

Hast du meine Telefonnummer?

Ü 25
Spielen Sie.

Jeder gibt einen Gegenstand in einen Sack. Dann geht's los:
A greift in den Sack und zieht einen Gegenstand heraus (z. B. ein Heft).
A fragt einen Partner / eine Partnerin: „Ist das dein Heft?“
Mögliche Antworten:

„Ja, bitte gib mir mein Heft.“

„Nein, das ist nicht mein Heft.“

→ A fragt einen anderen Partner / eine andere Partnerin.
„Nein, das ist sein/ihr Heft.“

Wortschatz: „den Tisch decken“

1. der Teller	die Serviette	die Tasse	das Glas
2. der Löffel	die Schüssel	die Gabel	das Messer
3. das Salz	der Pfeffer	der Zucker	der Topf
4. die Vorspeise	die Hauptspeise	die Flasche	der Nachtisch

R 1
a) Welches Wort passt nicht? Kreuzen Sie an.
b) Bewerten Sie: ++, +, –, – –.

Abendessen mit Freunden

A
Gäste empfangen
Begrüßen Sie den Gast.
Fragen Sie nach dem Befinden.
Bieten Sie ein Getränk an.

B
Gast sein
Danken Sie für die Einladung.
Sie haben ein Geschenk mitgebracht.
Sie möchten einen Kaffee.

R 2
a) Spielen Sie. A beginnt.
b) Bewerten Sie: ++, +, –, – –.

Eine Karte schreiben

Liebe Clara,

danke für ____________ (1) Einladung. Der Abend war toll. Ich finde ____________ (2) Freund Sven sehr nett. Du hast auch so gut gekocht. Kannst du mir ____________ (3) Rezept schicken, bitte? Was machst du am 24. Mai? Ich habe eine Wohnung gefunden. Das will ich mit ____________ (4) Freunden feiern. Kommst du zu ____________ (5) Party??

Ich möchte ____________ (6) und Sven gerne sehen. Ich finde ____________ (7) sehr nett und habe viel mit ____________ (8) geredet und gelacht. Ich finde meinen Fotoapparat nicht mehr. Ist er bei ____________ (9)? Kannst du ____________ (10) den Fotoapparat mitbringen, bitte?

Mit schönen Grüßen, Laura

R 3
a) Ergänzen Sie *mein-*, *dein-* ... (1-5) und die Personalpronomen. (6-10).
b) Bewerten Sie: ++, +, –, – –.

Das kann ich

		++	+	–	– –
hören	Ich kann Smalltalk bei einer Einladung verstehen.				
lesen	Ich kann in einem Rezept wichtige Informationen finden.				
	Ich kann Speisen und Getränke auf einer Speisekarte verstehen.				
schreiben	Ich kann eine einfache Postkarte schreiben.				
sprechen	Ich kann mich für eine Einladung bedanken.				
	Ich kann über Essgewohnheiten sprechen.				
Wortschatz	Ich kann Wörter zum Thema „Essen und Trinken“.				
Aussprache	Ich kann die Konsonantenverbindungen „st“ und „sp“ sprechen.				
Grammatik	Ich kann einige Personalpronomen im Dativ und Possessiv-Artikel im Nominativ und Akkusativ verstehen und benutzen.				

R 4
a) Kreuzen Sie an.
b) Fragen Sie den Lehrer / die Lehrerin.

10 Körper und Gesundheit

Du musst zum Arzt ...

Ü 1 Hören Sie A 1. Was ist richtig? Kreuzen Sie an.

1. [a] Ich habe Halsschmerzen. — [b] Mein Hals tut weh.
2. [a] Nein, ich will nicht. Das geht schon. — [b] Nein, ich will nicht. Das geht vorbei.
3. [a] Willst du eine Schmerztablette? — [b] Willst du etwas gegen die Schmerzen?
4. [a] Ich muss ins Büro. — [b] Ich will ins Büro.

Ü 2 Schreiben Sie Sätze und kontrollieren Sie mit A 2.

1. Adrian Knupp / sein / krank.
2. Er / Büro / ins / müssen. / Er / viel / Arbeit / sehr / haben.
3. Büro / Im / er / können / nicht / sich / konzentrieren.
4. Bei / der Anmeldung / müssen / die Versicherungskarte / er / zeigen.

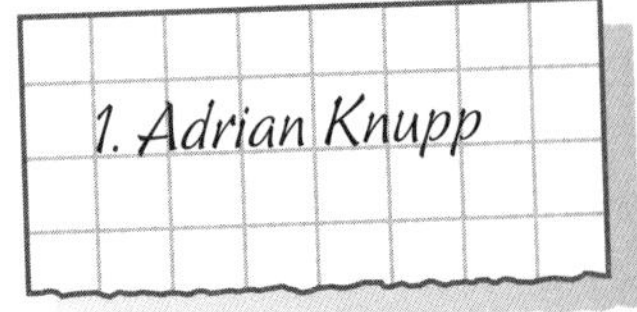

Ü 3 Ordnen Sie zu.

A — B

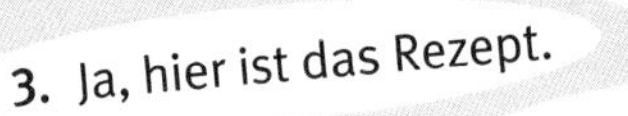

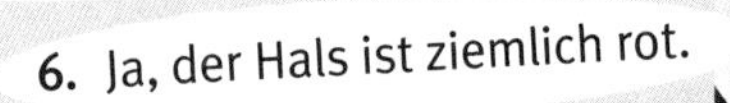

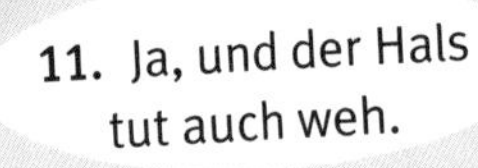

1. Haben Sie Kopfschmerzen?
2. Wo tut es genau weh?
3. Ja, hier ist das Rezept.
4. Vor allem hier, in den Armen und Beinen.
5. Und jetzt den Mund aufmachen und Ahhh sagen.
6. Ja, der Hals ist ziemlich rot.
7. Ja, Sie haben eine Grippe.
8. Und wie lange dauert das?
9. Ich schreibe Sie eine Woche krank.
10. Brauche ich Medikamente?
11. Ja, und der Hals tut auch weh.
12. Und, ist es schlimm?

Ü 4 Ordnen Sie zu.

1. Wie geht es Ihnen?
2. Haben Sie Schmerzen?
3. Wo tut es genau weh?
4. Seit wann haben Sie die Schmerzen?
5. Haben Sie auch Schnupfen?
6. Haben Sie Fieber?

A Nein, die Nase ist okay.
B Schlecht, ich fühle mich schwach.
C Seit heute Mittag.
D Hier, im Hals und in der Brust.
E Ja, ich habe Schmerzen.
F Ja, 38 Grad.

Gute Besserung ...

Ü 5
Lesen Sie A 4. Richtig oder falsch? Kreuzen Sie an.

	R	F
1. OptiCitran muss man in einem halben Liter Wasser auflösen.	☐	☐
2. OptiCitran muss man sehr heiß trinken.	☐	☐
3. Nach vier Stunden kann man wieder eine Dosis einnehmen.	☐	☐
4. Pro Tag darf man nicht mehr als vier Beutel einnehmen.	☐	☐
5. Wenn man OptiCitran nimmt, muss man nach drei Tagen zum Arzt gehen.	☐	☐
6. OptiCitran nimmt man am besten am Anfang einer Grippe.	☐	☐

Ü 6
Lesen Sie A 5 und korrigieren Sie.

Mit dem Rezept vom Arzt ist Adrian Knupp ~~ins Krankenhaus~~ gegangen und hat sich dort die Tabletten gekauft. Dann ist er nach Hause gegangen und hat eine Dosis OptiCitran im heißen Wasser aufgelöst und getrunken. Und dann hat er sich vor den Fernseher gelegt und geschlafen.
Nach ein paar Tagen war die Grippe vorbei, aber Adrian Knupp hatte keinen Hunger. Und er war immer noch sehr müde und kaputt. Er konnte noch nicht ins Büro gehen.

1. *in die Apotheke*
2. ____________
3. ____________
4. ____________
5. ____________
6. ____________
7. ____________
8. ____________

Ü 7 (2.48)
Hören Sie A 6b. Ergänzen Sie.

1. ● Hallo, Adrian. Wie geht's dir? ○ Danke. Es ____________ .
2. ● Was hast du genau? ○ Ich habe diese ____________ ...
3. ● Welche Grippe? ○ Im Moment haben viele diese Grippe. Zuerst hatte ich ____________ ______ Halsweh und ____________ . Und jetzt liege ich ____ ______ und muss ______ ____________ ...
4. ● Trinken? ○ Ja, ich ________ ________ ____________ .
5. ● Und wann kannst du wieder arbeiten? Wann sehen wir uns wieder? ○ Ich muss noch ein paar Tage ______ ________ ____________ .
6. ● Brauchst du etwas? Kann ich dir etwas bringen? ○ Danke, _____ _____ _____ , aber ich habe alles.

Ü 8
Schreiben Sie eine E-Mail.

seit 3 Tagen krank • Erkältung mit Husten
Tabletten genommen • viel geschlafen
viel Tee getrunken • einen Krimi gelesen • ...

Ein Arzt gibt Auskunft

Ü 9
Lesen Sie A 8 und ordnen Sie die Informationen.

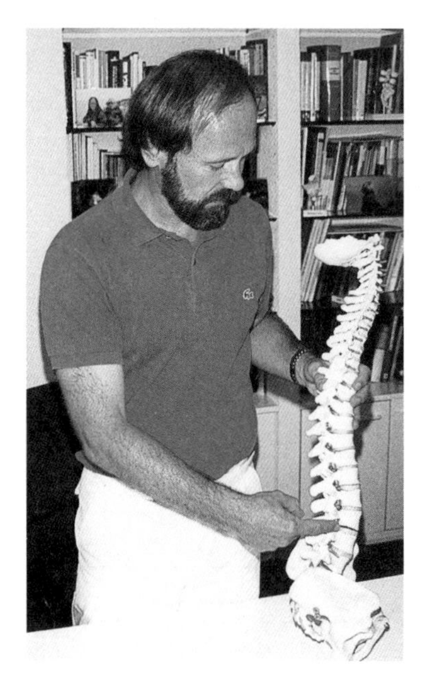

Was ist für Dr. Birrer wichtig?

___ Ein Arzt muss gut zuhören.

___ Er benutzt eine Checkliste.

_1_ Das Gespräch ist wichtig.

___ Dr. Birrer redet bei Problemen mit Händen und Füßen.

Wann gehen die Leute zum Arzt?

___ Erwachsene mit Grippe oder Erkältung

___ Kinder mit Husten oder Schnupfen

___ bei Schmerzen oder Ängsten

___ Jugendliche mit Sportverletzungen

2.49

Ü 10
Hören Sie A 9. Ergänzen Sie.

1. Zuerst begrüße ich den Patienten mit Namen und sehe ihn mir gut an. ________ er ________ aus?
2. Wichtige Fragen sind zum Beispiel: ________ ____? Wie viel ________ ____?
3. Auch Ausländer kommen heute nicht allein ________ ________.
4. Oft kommen die Leute auch mit Ängsten oder psychischen ________.
5. Dazu kommen dann andere Infektionskrankheiten und ________.
6. In diesen Fällen kommen die Leute aber meist direkt ____ ________.
7. ..., vor allem wegen der schlechten Luft, aber dann auch ________ und sehr hohes ________.

Ü 11
a) Was verstehen Sie? Markieren und vergleichen Sie.

Schmerz *der; -es, -en; meist Pl*; das unangenehme Gefühl im Körper, wenn man verletzt oder krank ist.- **Schmerzmittel, Schmerztablette;**
|| -K *(meist Pl)*: **Bauchschmerzen, Halsschmerzen, Herzschmerzen, Kopfschmerzen, Rückenschmerzen, Zahnschmerzen**

Ver·let·zung *die; -, -en*; eine Wunde, eine Stelle am/im Körper, die verletzt ist
|| -K: **Armverletzung, Beinverletzung, Knieverletzung, Kopfverletzung** usw; **Sportverletzung, Kriegsverletzung ...**

Un·fall *der; -"e;* ein Ereignis, bei dem Menschen verletzt oder getötet werden und/oder Dinge beschädigt oder zerstört werden

b) Notieren Sie Komposita.

Das Schmerzmittel ► *der Schmerz* ► *das Mittel*

Lernen mit Bewegung

Ü 12
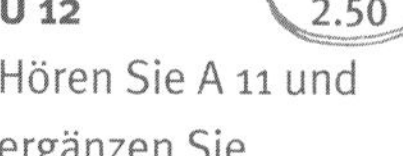

Hören Sie A 11 und ergänzen Sie.

1 ______________ (1) Sie sich hinter den Stuhl. Der Rücken ist gerade. Wenn Sie hinter dem Stuhl ___________ (2) , dann legen Sie die Hände _____ _____ (3) Stuhl. Gehen Sie jetzt in die Knie – der Rücken bleibt gerade und die Hände liegen _______ _______ (4) Stuhl. Und jetzt stehen Sie wieder auf. Die Hände bleiben ______ _______ (5) Stuhl.

2 Setzen Sie sich ______ ______ (6) Stuhl. Wenn Sie jetzt _____ _______ (7) Stuhl sitzen, ist der Rücken gerade, die Beine sind entspannt und die Füße sind ______ ______ (8) Boden. Und jetzt legen Sie die Hände _____ _____ (9) Knie. Und jetzt stehen Sie jetzt ganz langsam auf. Der Körper geht nach vorne und die Hände liegen ______ ______ (10) Knien.

Ü 13
Spielen Sie.

Wohin?
- Stell dich bitte ...

.... auf den Stuhl.

Wo?
- Und wo stehst du jetzt?

○ Auf dem Stuhl.

vor .... | links neben .... | rechts neben .... | hinter ....

Lernkärtchen

Ü 14
Antworten Sie. Ergänzen Sie die Präpositionen.

1. Wohin fliegt die Maschine? (die Türkei) ______________
2. Und wo leben Sie? (die Schweiz) ______________
3. Wohin fahrt ihr in Urlaub? (Mexiko) ______________
4. Und wo kauft ihr ein? (der Supermarkt) ______________
5. Wohin gehst du heute Abend? (das Kino) ______________
6. Wo steht der Kühlschrank? (die Küche) ______________
7. Wohin bringst du sie? (der Bahnhof) ______________
8. Und wohin gehen Sie nach dem Deutschkurs? ______________

Körper und Gesicht

Ü 15
Was kennen Sie?
Notieren Sie .

Tätigkeiten

Ü 16
a) Was möchten Sie gerne machen? Vergleichen Sie.
b) Probieren Sie etwas aus und erzählen Sie.

Tipp: Mit allen Sinnen lernen – mit dem Körper lernen

Mit den Augen
Sehen Sie Fotos an, z. B. von einer Stadt. Machen Sie eine Reise durch diese Stadt.
Was sehen Sie? Eine Straße, einen Platz, ein Museum, ... Notieren Sie.

Mit den Ohren
Hören Sie die Stimmen auf der Kassette/CD. Imitieren Sie die Intonation. Sprechen Sie die Sätze: Schnell, langsam, aggressiv, sympathisch, mit tiefer Stimme, ...

Mit der Nase
Kombinieren Sie Wörter und Gerüche. Wie riecht es beim Arzt? Wie riecht Kaffee?
Schreiben Sie Wortigel.

Mit dem Mund
Was essen Sie gerne? Kombinieren Sie Substantive und Adjektive: Apfel – süß; Käse – salzig.
Notieren Sie die Kombinationen auf einem Kärtchen.

Mit den Händen
Nehmen Sie einen Gegenstand in die Hände. Was ist das? Ist es kalt, warm, hart oder weich?
Sprechen Sie die Wörter laut.

Mit dem Körper
Spielen Sie Sätze: „Am Morgen dusche ich. Ich putze die Zähne. Ich habe Hunger, ich möchte ... ." Die anderen raten.

Über Vergangenes sprechen: Präteritum Modalverben

Erika Krupp hatte Kopfschmerzen, aber sie *musste* (1) ins Büro gehen, sie hatte viel Arbeit. Sie __________ (2) nicht zu Hause bleiben. Im Büro __________ (3) sie nicht arbeiten, sie __________ (4) sich nicht konzentrieren. Sie __________ (5) am Nachmittag zum Arzt gehen. Beim Arzt __________ (6) sie eine Stunde warten.

Nach dem Arzt __________ (7) Erika Krupp noch in die Apotheke gehen und Medikamente kaufen. Sie __________ (8) täglich fünfmal eine Tablette nehmen, und sie __________ (9) drei Tage lang im Bett bleiben. Sie __________ (10) danach bald wieder zur Arbeit gehen.

Ü 17
Ergänzen Sie „konnte", „musste" oder „wollte".

arbeiten können? • zum Arzt gehen müssen? • Tabletten nehmen müssen? • im Bett bleiben müssen? lange zu Hause bleiben müssen? • sich konzentrieren können? • ins Büro gehen wollen?

Krank sein – wie war das bei dir?

Konntest du arbeiten?

Ü 18
a) Schreiben Sie Interviewfragen.
b) Machen Sie ein Interview mit dem Partner / der Partnerin.

Verben mit Reflexivpronomen

- ● Hallo, Erika, wie geht es dir?
- ○ Nicht so gut, ich fühle *mich* (1) müde und schwach.
- ● Willst du __________ (2) nicht eine Stunde hinlegen?
- ○ Nein, ich habe keine Zeit.

Erika fühlt __________ (3) müde und schwach. Aber sie will __________ (4) nicht hinlegen. Sie geht ins Büro, aber da kann sie __________ (5) nicht konzentrieren. Am Nachmittag geht sie zum Arzt.

- ○ Herr Doktor, ich fühle __________ (6) so schwach und müde. Ich habe überall Schmerzen. Und ich kann __________ (7) nicht konzentrieren.
- ● Setzen Sie __________ (8) bitte hier auf den Stuhl und entspannen Sie __________ (9).

Erika hat eine Grippe. Sie erholt __________ (10) nur langsam.

Ü 19
Ergänzen Sie die Reflexivpronomen.

Wechselpräpositionen mit Dativ oder Akkusativ

Ü 20
Akkusativ oder Dativ?
a) Ergänzen Sie Präposition und Artikelwort.
b) Fragen Sie nach.

1. ⇒ Um 8 Uhr fährt Michael (in) *ins* ________ Büro. *Wohin fährt er?*
2. ⊙ Er arbeitet (in) ____________ Zentrum. ____________
3. ⊙ (An) ____________ Marktplatz steigt er aus. ____________
4. ⇒ Im Büro setzt er sich (an) ____________ Schreibtisch. ____________
5. ⊙ (An) ____________ Wand hängt ein Plakat. ____________
6. ⊙ (Auf) ____________ Plakat sind Rücken-Übungen. ____________
7. ⊙ Das Plakat hängt (hinter) ____________ Computer. ____________
8. ⇒ Michael stellt sich (hinter) ____________ Stuhl. ____________
9. ⇒ Er legt die Hände (auf) ____________ Stuhl. ____________
10. ⊙ Er geht in die Knie, die Hände bleiben (auf) ____________ Stuhl. ____________

Ü 21
Welches Verb passt? Schreiben Sie die Fragen und Antworten.

1. Wohin (fahren / ~~sein~~) *fährst* ________ du? (in, Büro) *Ins Büro.*
2. Wo (fahren / sein) ____________ Peter? (in, Stadt) ____________
3. Wo (setzen / sitzen) ____________ du? (hinter, Tisch) ____________
4. Wohin kann ich mich (setzen / sitzen) ____________? (auf, Stuhl) ____________

Satz: Nebensatz mit „wenn“

Ü 22
Schreiben Sie Sätze mit „wenn“.

1. Die Leute sind krank – sie gehen zum Arzt.
   Wenn die Leute krank sind, gehen Sie zum Arzt.
2. Die Patienten sprechen nicht Deutsch – Dr. Birrer redet mit Händen und Füßen.
   ____
3. Wir sitzen zu lange – wir bekommen Rückenschmerzen.
   ____
4. Ich habe Kopfschmerzen – ich nehme eine Tablette.
   ____
5. Ich habe Rückenschmerzen – ich mache Übungen gegen Rückenschmerzen.
   ____

Über Krankheit und Gesundheit sprechen

A

Sportverletzung: Fuß gebrochen – Schmerzen – eine Woche ruhig liegen – nach einer Woche keine Schmerzen – viel lesen und fernsehen.

B

Grippe: mit Fieber und Schnupfen – Arzt: 6 Tabletten pro Tag mit etwas Wasser – liegen und Tee trinken – viel Musik hören – 2 Krimis lesen

R1
a) Was ist passiert? Erzählen Sie.
b) Bewerten Sie: ++, +, –, – –.

1.	das Bein	der Mund	die Ohren	die Augen
2.	gehen	hören	springen	tanzen
3.	küssen	husten	rauchen	riechen
4.	das Fieber	die Grippe	die Erkältung	der Armbruch

R2
a) Welches Wort passt nicht? Kreuzen Sie an.
b) Bewerten Sie: ++, +, –, – –.

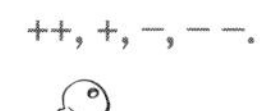

Eine Anleitung verstehen

1 Neosolen

Wie nehmen Sie Neosolen?
- akut: 6-8-mal am Tag drei Tabletten mit etwas Wasser
- bei Besserung: 3-mal am Tag zwei Tabletten vor dem Essen

Wann nehmen Sie Neosolen?
- wenn Sie Schnupfen und Fieber haben
- wenn die Nase verstopft ist
- wenn Sie Kopfschmerzen haben

2 Fitaben

Wie verwenden Sie Fitaben?
- akut: 3-mal am Tag zwei Tabletten vor dem Essen
- bei Besserung: 1-mal am Tag vor dem Schlafen

Wann nehmen Sie Fitaben?
- bei Sportverletzungen
- bei Knochenbrüchen
- bei Muskelschmerzen und Schnittwunden

R 3
a) Passt ein Medikament?
b) Bewerten Sie: ++, +, –, – –.

A Sie haben sich beim Tennis die Hand verletzt. Mediakament ____

B Sie haben Husten, Fieber und Kopfschmerzen. Mediakament ____

C Sie haben schlecht gegessen und Bauchschmerzen. Mediakament ____

D Sie haben sich beim Kochen in den Finger geschnitten. Mediakament ____

Das kann ich

		++	+	–	– –
hören	Ich kann Informationen in einem Interview verstehen.				
lesen	Ich kann einfache Anleitungen verstehen.				
schreiben	Ich kann über meine Gesundheit Auskunft geben.				
sprechen	Ich kann beim Arzt wichtige Fragen beantworten und über meine Krankheit Auskunft geben.				
	Ich kann nach dem Befinden fragen und reagieren.				
Wortschatz	Ich kann Wörter zum Thema „Körper und Gesundheit“.				
Aussprache	Ich kann den Konsonanten „h“ und den „Knacklaut“ sprechen.				
Grammatik	Ich kann einige Präteritum-Formen der Modalverben *können*, *müssen* und *wollen* verstehen und benutzen.				
	Ich kann Nebensätze mit *wenn* und einige Verben mit Reflexivpronomen verstehen und benutzen.				
	Ich kann wichtige Wechselpräpositionen benutzen.				

R 4
a) Kreuzen Sie an.
b) Fragen Sie den Lehrer / die Lehrerin.

Kleider machen Leute

Ü 1
Lesen Sie und vergleichen Sie mit A 1. Welche Informationen sind falsch? Markieren Sie.

Er trägt gerne sportliche Kleidung: Sakko, Hemd oder Pullover und eine Hose. Auch Anzüge trägt er oft, aber sie müssen bequem sein. In seiner Freizeit trägt er auch Turnschuhe zum Anzug.

„Kleider machen Leute – das stimmt", meint er. Er kauft alles im Sonderangebot, auch Regenjacken oder Mäntel. Er mag Second-Hand-Läden nicht. Da weiß man nie.

In der Arbeit trägt sie fast immer eine Jacke, einen Rock und eine Bluse. In ihrer Freizeit mag sie es lässig. Da trägt sie Jeans und T-Shirts. Sie mag diesen Unterschied Freizeit – Arbeit.

Sie trägt in der Arbeit eine farbige Bluse und eine weiße Hose. Privat zieht sie sich richtig schön an. Da zieht sie gerne ihren weißen Mantel an und die weißen Schuhe dazu. Weiß ist ihre Lieblingsfarbe.

Ü 2
Kombinieren Sie.

Ich trage gerne Ich trage nicht gerne	Jeans. Hosen. Blusen. Hemden. Pullover. T-Shirts. Jogging-Anzüge. Turnschuhe. Stiefel. ...	Ich ziehe mich gerne	elegant modisch sportlich lässig ordentlich	an.

Ich trage gerne Blusen. Ich ziehe mich gerne elegant an.

Ü 3
a) Ergänzen Sie und sammeln Sie weitere Farbwörter.

1. bl___ 2. gr__n 3. ge___ 4. ora_____ 5. r____
6. ros__ 7. vio______ 8. schw______ 9. gr____ 10. we_____ ....

b) Wer ist das? Beschreiben Sie eine Kollegin und einen Kollegen.

Sie trägt gerne Schwarz und Orange. Heute eine Bluse, die ist orange. Heute hat sie eine Hose und Stiefel angezogen. Die Hose ist blau und die Stiefel sind rot. Normalerweise trägt sie einen Rock. Tipp: Ihre Augen sind blau.

Seine Lieblingsfarbe ist Blau. Er trägt Jeans und einen Pullover. Die Jeans sind blau und der Pullover ist schwarz. Chic! Heute trägt er keine Turnschuhe. Tipp: Seine Haare sind braun.

In der Boutique

● Sieh mal, der Rock!
○ __________ (1), der grüne?
● Nein, der _____e (2)! Meinst du, der steht mir?
○ Bestimmt!
● Aber der passt doch nicht zu den __________en (3) T-Shirts.
○ Stimmt, da hast du Recht.
● Und das Kleid?
○ ____________ (4)?
● Das lange ____________e (5)!
○ Ich weiß nicht. Es ist ein bisschen zu _______ (6).
● Also, ich find das echt ______ (7)!

Ü 4 2.59
Hören Sie A 3.
Ergänzen Sie.

1. die Bluse – weiß • 2. der Rock – blau • 3. die Hose – schwarz • 4. das Kleid – gelb
5. das T-shirt – grau • 6. der Pullover – grün

1. ● Sieh mal, die Bluse. ○ *Welche, die weiße?*

Ü 5
Schreiben Sie.

Im Kaufhaus: Herren-Oberbekleidung

1. [a] Guten Tag, kann ich Ihnen helfen? [b] Guten Tag, darf ich Ihnen helfen?
2. [a] Welchen meinen Sie? [b] Meinen Sie den?
3. [a] Ich glaube, ich habe 52! [b] Ich glaube, ich habe Größe 52!
4. [a] Kann ich den Anzug anprobieren? [b] Wo kann ich den Anzug anprobieren?
5. [a] Da drüben in der Kabine. [b] Da hinten in der Kabine.
6. [a] Probieren Sie lieber die Hose hier an. [b] Ich probiere lieber die Hose hier an.

Ü 6 2.60
Hören Sie A 4.
Was hören Sie?
Kreuzen Sie an.

1. Ich suche ein paar Turnschuhe.
2. Danke, ich möchte mich nur umsehen.
3. Das ist zu klein.
4. Die Farbe gefällt mir nicht so.
5. Das steht Ihnen gut!
6. Gefällt Ihnen der Anzug?
7. Haben Sie die Schuhe auch in Schwarz?
8. Ich habe Größe 36.
9. Ich suche Größe S.
10. Kann ich Ihnen helfen?
11. Was kostet die Hose?
12. Welche Farbe suchen Sie?
13. Welche Größe haben Sie?
14. Wie finden Sie die Bluse?
15. Wo kann ich das anprobieren?

Ü 7
a) Wer sagt was?
Ordnen Sie zu.

Verkäufer/Verkäuferin	**Käufer/Käuferin**
______________	*1,* ______________

● *Kann ich Ihnen helfen?* ○ *Ich suche …*

b) Schreiben Sie einen Dialog: Schuhe/Anzug/Bluse/… kaufen.

Früher – heute

Ü 8
Lesen Sie A 5. Jonathan oder/und Sieglinde? Ordnen Sie zu.

A

B

- musste früher gesunde Schuhe tragen
- durfte mit 14 Jahren selbst Kleidung kaufen
- hört die gleiche Musik wie die Kinder
- konnte die ersten Kleider selbst bezahlen
- trägt teilweise die gleichen Kleider wie die Tochter
- durfte die Lieblingskleider nicht tragen
- hört gerne Klassik

Ü 9
a) Lesen Sie A 5 und machen Sie Notizen.
b) Und Sie? Ergänzen Sie.

	Jonathan Schreitmeier	Sieglinde Krüger	Ich
als Kind			
mit 14/16 Jahren			
mit 20 Jahren			
heute			

Ü 10
Was passt für Sie? Markieren und ergänzen Sie.

Mode toll finden • Mode unwichtig finden • viele Kleider mögen • oft das Gleiche anziehen • gerne einkaufen • einmal im Jahr einkaufen • nicht gerne einkaufen • allein einkaufen • mit Freund/Freundin einkaufen • Geld für Mode ausgeben • Geld für ... ausgeben • kein Geld haben • sich gut fühlen • gerne anziehen • Kleidung auswählen • ...

Ich trage gerne Blusen. Ich ziehe mich gerne elegant an.

Ü 11
Was trägt man bei Ihnen? Ergänzen Sie.

1. Bei uns tragen die Kinder ____________
2. Junge Frauen ____________
3. Junge Männer ____________
4. Alte Leute ____________
5. Auf einem Fest ____________
6. An einem Feiertag ____________

Tests

☐ Ich informiere mich genau über die Prüfung: Wie sehen die Aufgaben aus? Wie lange dauert die Prüfung? Darf man Hilfsmittel benutzen? Wie oft kann man die Prüfung wiederholen?
☐ Ich mache einen Probetest oder frage den Lehrer oder die Lehrerin. Erst dann melde ich mich zur Prüfung an.
☐ Ich mache eine Liste: *Das kann ich – Das muss ich noch lernen.*
☐ Wie viel Zeit habe ich für die Aufgaben in der Prüfung? Zum Beispiel 20 Minuten für das Lesen. Ich trainiere: Lesen in 20 Minuten.
☐ Ich überlege: Was passiert, wenn ich die Prüfung nicht bestehe? Ist das schlimm? Kann ich es noch einmal versuchen?

Ü 12
a) Was machen Sie vor einer Prüfung? Kreuzen Sie an.
b) Was machen Sie sonst noch? Vergleichen Sie.

Das weiß ich schon vor dem Hören:

	Personen	Thema
Text 1		
Text 2		

Ü 13
Hören testen:
a) Lesen Sie A 8 und ergänzen Sie.

Was muss ich hören?

☐ Das Thema oder die Situation: Geschäft, Einkaufen, ...
☐ Detail-Informationen: Preis, Größe, ...

1 Welchen Anzug probiert Herr Kurz an?

● Guten Tag, kann ich Ihnen helfen?
○ Ja, danke. Ich suche einen Anzug.
● Kein Problem. Fürs Büro oder darf er elegant sein?
○ Tja, eher fürs Büro, so wie der, der graue.
● Eine gute Wahl! Zeitlos, nicht zu modisch. Den haben wir auch mit Weste, dreiteilig, also Hose, Jacke, Weste.
○ Was kostet der?
● Moment – der kommt auf 285,– Euro.
○ Hm, ganz schön teuer ...
● Wir haben auch einen grauen Anzug im Angebot: Hier, sehen Sie, nur 180,– Euro.
○ Aber ohne Weste?
● Natürlich, bei dem Preis!
○ Ich probiere den Dreiteiligen an. Wo sind die Kabinen?

b) Hören Sie 2.61 A 8 Text 1 und lesen Sie. Markieren Sie die richtige Antwort.
c) Unterstreichen Sie im Text: „nicht", „kein-", „ohne".

Das weiß ich schon vor dem Lesen:

Das sind ... ☐ Zeitungstexte ☐ Ankündigungen ☐ Briefe

Das muss ich machen:
☐ Notizen machen
☐ eine Frage beantworten
☐ die richtige Antwort auswählen
☐ richtig/falsch ankreuzen
☐ eine Aussage mit einem Text vergleichen

Ü 14
Lesen testen:
Lesen Sie A 9 an und kreuzen Sie an.

Was muss ich suchen?

☐ Das Thema oder die Situation: *Lernen mit dem Computer, Schule, ...*
☐ Detail-Informationen: *Telefonnummer, Uhrzeit, ...*

Kleidung

Ü 15
Suchen Sie Kleidungsstücke. Notieren Sie Artikel und Plural. Verwenden Sie ein Wörterbuch.

S	C	H	A	L	W	I	R	T	B
T	B	O	R	G	B	L	U	S	E
R	A	S	T	F	A	N	S	O	S
U	D	E	N	O	D	U	R	C	T
M	E	S	C	H	E	I	L	K	I
P	H	T	O	M	A	N	T	E	L
F	S	A	N	I	N	E	L	I	G
A	O	F	A	N	Z	U	G	N	A
N	E	E	L	H	U	T	I	S	S
T	E	R	U	N	G	E	R	S	T

1. *Schal, der; Schals*
2. ______
3. ______
4. ______
5. ______
6. ______
7. ______
8. ______
9. ______
10. ______

Ü 16
Schreiben Sie Preisschilder: Kleidung, Farbe, Qualität, Preis.

Ü 17
a) Was passt? Ordnen Sie zu.
b) Was passt zu Ihnen? Markieren und ergänzen Sie.

1. *A,* ___ Mode? Einfach nur langweilig!
2. ______ Ich bin ein Modefan. Meine Freunde auch.
3. ______ Ich kann bei der Arbeit und in der Freizeit nicht die gleichen Sachen tragen.
4. ______ Die alten Sachen gefallen mir gut!

A Ich ziehe mich nie modisch an.
B Ich mag modische Kleidung.
C Ich habe einen Schal von meiner Großmutter. Den trage ich sehr gern.
D Ich gebe viel Geld für Kleider aus.
E Privat mag ich lockere Sachen.
F Meine Kleidung ist ziemlich ausgeflippt. Das ist wichtig für mich.
G Ich fühle mich in den Kleidern von meiner älteren Schwester sehr wohl.
H Ich esse lieber gut und trage Kleider vom letzten Jahr.

Adjektive: prädikativ und attributiv

Ü 18
a) Markieren Sie die Adjektive.

1. Benno ist umgezogen, er hat eine neue Wohnung. **2.** Die Wohnung ist klein. **3.** Sie hat zwei kleine Zimmer, eine Küche und ein modernes Bad. **4.** Die Küche ist schön. **5.** Benno hat neue Möbel gekauft. **6.** Das schwarze Sofa im Wohnzimmer und der kleine Tisch und die blauen Stühle in der Küche sind neu. **7.** Die Möbel im Schlafzimmer sind alt.

b) Ordnen Sie die Sätze und Adjektive.

Verb + Adjektiv ohne Endung:	**Artikelwort + Adjektiv mit Endung + Substantiv:**
2. ist klein	*1. eine neue Wohnung*
______________	______________
______________	______________
______________	______________

Ü 19
Ergänzen Sie.

gut • neu • schwarz • braune • ~~neue~~ • grüne • braun • grün • neue

- ● Hallo, Gabi! Ich war heute in der Stadt und habe mir zwei n*eue* (1) Hosen und einen Pullover gekauft.
- ○ Oh, n________ (2) Kleider! Wie sieht denn der Pullover aus?
- ● Er ist gr_______ (3) und die eine Hose ist b________ (4), die andere ist s___________ (5).
  Die b__________ (6) Hose und der gr________ (7) Pullover passen gut zusammen.
- ○ Ja, das sieht bestimmt g_______ (8) aus. Wo hast du die Sachen gekauft?
- ● In dem Geschäft in der Sonnenstraße. Das Geschäft ist ganz n________ (9).

Adjektive: Deklination nach bestimmtem Artikel („der", „das", „die")

Ü 20
Ergänzen Sie die Endungen.

- ● Bist du fertig? Können wir jetzt ins Theater gehen?
- ○ Ja, gleich. Aber was ziehe ich an?
- ● Zieh doch den grün____ (1) Anzug und das grau____ (2) Hemd an.
- ○ Ich weiß nicht. Ich finde, der grün____ (3) Anzug steht mir nicht. Vielleicht ist die schwarz____ (4) Hose und das gelb____ (5) Hemd besser?
- ● Ja, das ist auch gut. Und dazu das schwarz____ (6) Sakko.

Ü 21
Was gefällt Ihnen? Schreiben Sie vier Sätze.

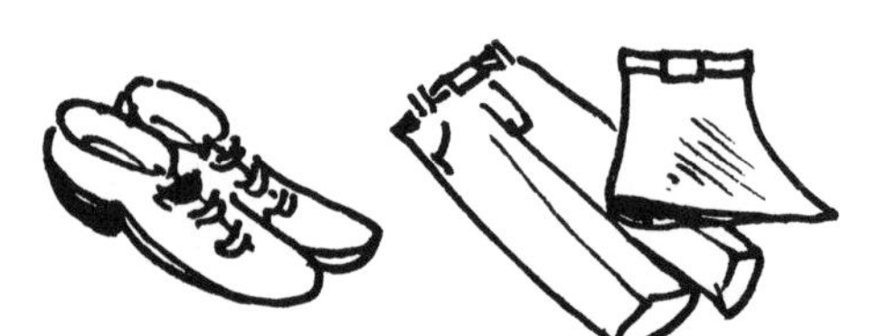

Schuhe (Pl.)	Hose (f) / Rock (m)	Pullover (m) / Bluse (f)	Jacke (f)	Hut (m) / Mütze (f)
braun	schwarz	grün	blau	schwarz
schwarz	grau	weiß	grau	grau
weiß	gelb	blau	weiß	grün
rot	rot	braun	gelb	blau

1. Mir gefallen die schwarzen Schuhe und der rote Rock, die graue Jacke und die graue Mütze. 2. ...

Adjektive: Deklination nach unbestimmtem Artikel („ein", „eine")

Ü 22
Spielen Sie im Kurs: Was haben Sie gesehen?

Frau Bäcker ist traurig: Sie hat einen Kuchen gemacht und auf die Terrasse gestellt. Jetzt ist der Kuchen weg. Wer war es? Wer hat den Kuchen genommen?
Sie haben etwas gesehen! Beschreiben Sie die Person.

einen großen/kleinen/... Mann • eine große/kleine/... Frau
eine schwarze/blaue/graue/... Hose/Jacke/Tasche/Bluse/Mütze
weiße/braune/graue/schwarze/... Schuhe/Turnschuhe/Haare
einen roten/gelben/grünen/... Pullover/Anzug/Rock/Mantel/Hut
ein weißes/schwarzes/rotes/... T-Shirt/Hemd/Sakko

Ich habe einen kleinen Mann gesehen. Er hat eine schwarze Hose und schwarze Schuhe an. Er trägt einen grünen Pullover und ...

Fragen mit „welch-?"

Ü 23
Ergänzen Sie.

1. Welches Hemd ziehst du an? – *Das* gelbe. **2.** Welche Schuhe passen besser? – _____ schwarzen. **3.** Welcher Pullover gefällt dir? – _____ blaue aus Baumwolle. **4.** Welchen Anzug meinen Sie? – _____ grauen. **5.** Welches T-Shirt darf ich Ihnen geben? – _____ für 25,– Euro. **6.** Welches Kleid möchten Sie anprobieren? – _____ im Schaufenster. **7.** Welches Sakko nehmen Sie? – _____ schwarze.

Personen und Kleidung beschreiben

Peter Schreier erzählt:

„Als Kind musste ich am Sonntag ein weißes Hemd und eine kurze Hose tragen. Die anderen Kinder durften T-Shirts anziehen. Später in der Schule musste ich die Sachen von meinem älteren Bruder tragen. Die alten Pullover und Mäntel haben mir nicht gefallen, aber wir hatten kein Geld.
Mit 16 habe ich mir meine erste Jeans gekauft: enge, blaue „Levi's"! Das weiße Hemd habe ich dann jeden Tag getragen. Ich finde das heute noch schick.
Aber eine Freundin habe ich so auch nicht gefunden!

Heute bin ich 40 und glücklich verheiratet. Wir haben zwei Kinder, einen Sohn und eine Tochter. Er ist 14 Jahre und sie zwei Jahre älter.
Jan trägt Tag und Nacht seine Turnschuhe und eine graugrüne Baumwollhose. Er hat sie von einem Freund bekommen.
Lea wechselt jeden Tag: Am Montag trägt sie einen langen Rock, am Dienstag eine modische Hose, am Mittwoch ... .
Wir „Alten" sagen nichts, aber spezielle Kleider und Schuhe müssen die Kinder schon selbst bezahlen."

R 1
a) Lesen Sie und machen Sie Notizen zu Person, Alter und Kleidung.
b) Bewerten Sie: ++, +, –, – –.

R 2
a) Berichten Sie über Peter Schreier. Benutzen Sie Ihre Notizen von R 1.
b) Bewerten Sie: ++, +, –, – –.

Einen Dialog spielen

1

2

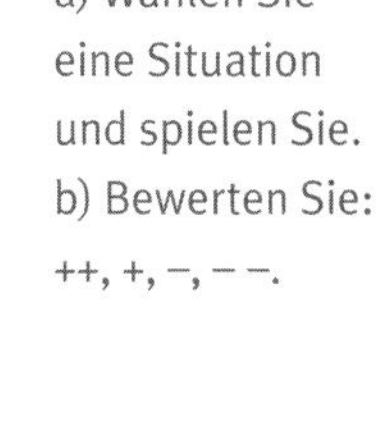

R3
a) Wählen Sie eine Situation und spielen Sie.
b) Bewerten Sie: ++, +, –, – –.

Das kann ich

		++	+	–	– –
hören	Ich kann Gespräche zum Thema „Kleidung" verstehen.				
lesen	Ich kann kurze Texte zum Thema „Mode" verstehen.				
schreiben	Ich kann Notizen zum Thema „Mode und Kleidung" machen.				
sprechen	Ich kann fragen „Welche Kleidung trägst du gerne? Welche nicht?" und selbst Auskunft geben.				
	Ich kann ein Einkaufsgespräch beim Kleiderkauf führen.				
Wortschatz	Ich kann Wörter zum Thema „Mode und Kleidung".				
Aussprache	Ich kann „ich"- und „ach"-Laute sprechen.				
Grammatik	Ich kann Fragen mit *welch-* und die Antwort mit *der, das, die* verstehen und benutzen.				
	Ich kann Adjektive (attributiv) verstehen und (prädikativ) benutzen.				

R 4
a) Kreuzen Sie an.
b) Fragen Sie den Lehrer / die Lehrerin.

Ausklang: Wetter und Landschaften

Die vier Jahreszeiten

Ü 1
Zeichnen Sie den Weg.

Eine Wanderung quer durch die Alpen. Über herrliche Almen und durch schöne Wälder, hohe Berge und durch die große Gletscherwelt.
Wir starten in Oberstdorf, wandern durch die Allgäuer Berge hinüber nach Österreich in Richtung Lechtal. Die zweite Etappe führt durch das Pitztal zu den Ötztaler Alpen.
An der Wildspitze vorbei, dem höchsten Berg Tirols, gehen wir Richtung Südtirol.

Ü 2
a) Ordnen Sie die Sätze.
b) Vergleichen Sie mit A 1 Text 3.

_1_ Sonntag in Graz, das Wetter ist regnerisch und kühl.
___ Typisch für die Jahreszeit.
___ Super!
___ Vorgestern auf der Burg Rabenstein, die Ausstellung war langweilig.
___ Noch 2 Stunden dann sind wir da. Wien Süd.
___ Gestern waren wir in einer Fotoausstellung „Frauen in Europa".
___ Jetzt sitzen wir im Zug nach Wien.
___ Ein heißer Tipp: gut und günstig.
___ Dann haben wir noch beim „Mohrenwirt" ein „Hühnerschnitzel" gegessen.
___ Ich freue mich.

Ü 3
a) Welche Begriffe finden Sie in den Fotos und Texten von A 1? Markieren Sie in der Mind-Map.

b) Welche Wörter kennen Sie noch? Ergänzen Sie.
c) Der? Die? Das? Ergänzen Sie.

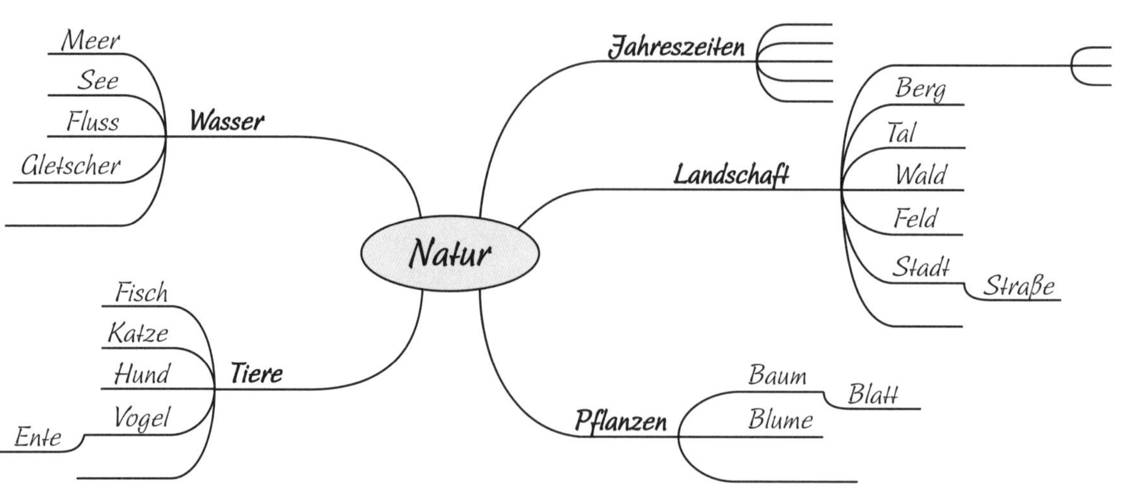

Sonne, Regen, Blitz und Donner

PROGNOSE BIS SAMSTAGABEND

In der Nacht Gewitter und Regenschauer. Tagsüber zunächst noch meist bewölkt und am Vormittag leichte Regenschauer. Im Laufe des Tages zum Teil sonnig, längs der Alpen auch am Nachmittag noch ein paar Wolkenfelder. Tiefsttemperatur in der Nacht um 20 Grad. Höchsttemperatur um 28 Grad. Nullgradgrenze bei 2700 Meter. In Gewitternähe Sturmböen.

Ü 4
Sie machen ein Kursfest. Wo? Wie wird das Wetter? Was müssen Sie organisieren?

	Dezember – Februar	Mai – September	Was ist für Sie ...?
kalt	< 0 °C	< 8 °C	
ziemlich kalt	−1 – +2 °C	–	
sehr kühl	–	9 – 13 °C	
kühl	–	13 – 17 °C	
normal	3 °C	–	
mild	3 – 8 °C	–	
warm	–	21 – 25 °C	
sehr warm	–	25 – 28 °C	
heiß	–	> 28 °C	

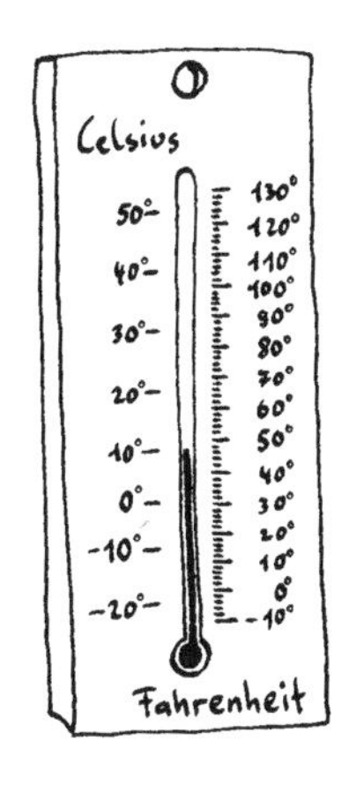

Temperatur in Grad Celsius in Mitteleuropa

Ü 5
Was ist für Sie kalt oder heiß? Ergänzen und vergleichen Sie.

Ü 6
Es ist kalt. Es ist warm. Was brauchen Sie? Sammeln Sie Kleidungsstücke und Gegenstände.

1. _____ Wie ist das Wetter?
2. _____ Wie wird das Wetter?
3. _____ Wie kalt ist es?
4. _____ Wie warm war es?

A Morgen gibt es ein Gewitter.
B Minus 4 (Grad).
C Es war heiß. Wir hatten 32 Grad.
D Es regnet.
E Es ist kalt.
F Es bleibt schön.
G Die Sonne scheint.
H Am Himmel sind viele Wolken.

Ü 7
a) Ordnen Sie zu.
b) Spielen Sie.

Der Jahreszeiten-Maler

2.71 **Ü 8** a) Hören Sie A 5 Strophe 1 – 4. Ergänzen Sie.

Den Frühling mal ich __________ (1),
lass meine __________ (2) blüh'n.
Zu Ostern mal ich dir ein Ei,
und wenn du lieb bist, sogar drei!

Bei uns spinnt der ________ (3),
er weiß nicht, was er will.
Ich mal ihn mir __________ (4),
egal was dann passiert!

Den __________ (5) mal ich blau
wie die Augen meiner Frau.
Ihr wird's da oft zu ________ (6),
dann mal ich __________ (7), weiß!

Kommt zu uns im __________ (8)!
Habt ihr keine ________ (9)?
Packt einfach eure Sachen,
wir können so viel machen!

2.72 b) Hören Sie A 5 Strophe 5 – 8. Was hören Sie? Markieren Sie.

1. Pfund	bunt	rund
2. Bild	mild	wild
3. rot	tot	Brot
4. grau	Tau	lau
5. Eis	weiß	Reis
6. Ihnen	Bienen	Apfelsinen

Ü 9 a) Wie ist das bei Ihnen? Notieren Sie. b) Vergleichen Sie.

	Frühling	Sommer	Herbst	Winter
Welche Farbe hat Ihr ...?				
Was machen Sie im ...?				
Wie sieht der ... bei Ihnen ... aus?				
Welche Tiere sieht man im ...?				

Ü 10 a) Bilden Sie Wortpaare.

alt • Schnee • Herz • hinter • Hund • kalt • lachen • legen • mal • rund • Schmerz • machen • See • Sonne • Tier • vier • Winter • Regen • Wonne • Tal

b) Wählen Sie 4 Wortpaare und schreiben Sie ein Gedicht.

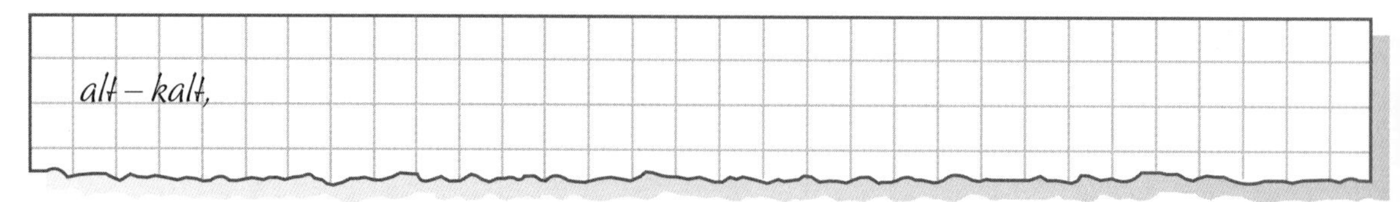

Schlusstest

Gratulation! Sie sind am Ende von *Optimal A1* angekommen, Sie haben viel gelernt und hoffentlich auch Spaß gehabt. Sie können jetzt schon viel auf Deutsch sagen und machen.

Sie wollen sicher wissen: Wie viel kann ich wirklich? Machen Sie einfach den Test. Aber zuerst ein paar Aufgaben zur Vorbereitung.

Sie haben sicher schon Tests und Prüfungen gemacht. Erinnern Sie sich: Was hat gut funktioniert? Kreuzen Sie an und ergänzen Sie.

Schriftliche Tests

- ☐ Die Anweisung genau und mehrere Male lesen.
- ☐ Zeit pro Aufgabe ungefähr festlegen.
- ☐ Zunächst die einfachen und dann die schwierigen Aufgaben lösen.
- ☐ Leserlich schreiben.
- ☐ Aufgabe erst mit Bleistift lösen, später überprüfen.
- ☐ Die letzten Minuten für das Durchlesen reservieren.
- ☐ ______________________________

Mündliche Tests

- ☐ Deutlich sprechen.
- ☐ Gleich nachfragen, wenn man etwas nicht verstanden hat.
- ☐ Bekannte Wörter und Strukturen verwenden.
- ☐ Fehler sofort korrigieren („er hat gelachen ... gelacht“).
- ☐ Gestik und Mimik bewusst einsetzen.
- ☐ In einer Gruppenprüfung zuhören und über das gleiche Thema weitersprechen.
- ☐ ______________________________

Die Aufgabenstellung genau lesen: Richtig oder falsch? Kreuzen Sie an.

Hören: Dieser Test besteht aus zwei Gesprächen. Sie hören jeden Text zweimal. Zu jedem Text gibt es eine Aufgabe. Lesen Sie zuerst die Aufgabe, hören Sie dann den Text. Kreuzen Sie die richtige Lösung an.

	R	F
1. Sie hören die zwei Texte zweimal.	☐	☐
2. Sie hören Dialoge.	☐	☐
3. Es gibt zu einem Text mehrere Aufgaben.	☐	☐
4. Sie sollen zuerst die Aufgabe lesen und dann den Text hören.	☐	☐
5. Sie müssen die richtige Antwort unterstreichen.	☐	☐

Lesen Sie die zwei Texte. Was hat Ihr Partner oder Ihre Partnerin falsch erklärt? Unterstreichen Sie.

Lesen: Bei diesem Test müssen Sie Schilder und Hinweise lesen. Lesen Sie die Texte und kreuzen Sie die richtige Lösung an. Hilfsmittel wie Wörterbücher sind nicht erlaubt.

Bei dem Test kannst du das Wörterbuch mitnehmen. Zuerst musst du lesen und dann einfach notieren, was du gelesen hast. Das sind Zeitungstexte. Alles klar? Dann alles Gute!

Informationen zum Schlusstest

Aufbau und Ablauf
Der Test besteht aus vier Teilen:
Lesen, Hören, Schreiben und Sprechen.
Die ersten 3 Teile machen Sie allein.
Beim Sprechen arbeiten Sie in der Gruppe.
Der Test ist ähnlich wie die Prüfung „Start 1".
Ihre Lehrerin oder Ihr Lehrer weiß sicher mehr dazu.

So machen Sie am besten den Test:
- Vor jedem Test steht „Das kann ich …". Kreuzen Sie an.
- Machen Sie dann den Test.
- Korrigieren Sie mit dem Lösungsschlüssel oder fragen Sie den Lehrer / die Lehrerin. Notieren Sie Ihre Punkte und die Zeit.

Lesen

Was können Sie? Kreuzen Sie an.

Das kann ich:
- ☐ Ich kann einfache Informationen und kurze Beschreibungen mit Bildern verstehen.
- ☐ Ich kann kurzen, einfach geschriebenen Anleitungen mit Bildern folgen.
- ☐ Ich kann sehr kurze, einfache Texte mit bekannten Namen, Wörtern und wichtigen Ausdrücken in vielen Alltagssituationen verstehen.
- ☐ Ich kann kurze, einfache Mitteilungen auf Postkarten oder in E-Mails verstehen.

Lesen 1: Einfache Mitteilungen verstehen

Notieren Sie die Startzeit. **Start:** ________
Lesen Sie und kreuzen Sie an.

Liebe Frau Grandi,

Sie haben sich für den Kurs „Deutsch A2" eingeschrieben. Leider ist der Kurs schon voll. Rufen Sie uns am 4. März an. Vielleicht gibt es dann freie Plätze im Kurs „Deutsch-Klub". Der Kurs beginnt am 6. März um 18 Uhr.

Mit freundlichen Grüßen
Andrea Schneider

Liebe Mitarbeiter und Mitarbeiterinnen,

Herr Francisco Santos Silva verlässt uns. Zum Abschied lade ich Sie alle zu einem kleinen Fest ein:

Freitag, 21. Dezember 15 Uhr
in der Kantine.

Bitte teilen Sie Frau Koch mit, ob Sie kommen.

Peter Krämer

1. Frau Grandi kann den Kurs „Deutsch A2" besuchen. ☐ richtig ☐ falsch
2. Andrea Schneider ruft Frau Grandi an. ☐ richtig ☐ falsch
3. Der Kurs „Deutsch-Klub" findet am Abend statt. ☐ richtig ☐ falsch
4. Herr Silva reist ab. ☐ richtig ☐ falsch
5. Man muss sich bei Peter Krämer anmelden. ☐ richtig ☐ falsch

Wie lange haben Sie gebraucht? Notieren Sie.
Korrigieren Sie mit dem Lösungsschlüssel. Notieren Sie Ihre Punkte.

Ende: ________ **Zeit insgesamt:** ________ **Punkte (= Anzahl richtig):** ________

Lesen 2: Einfache Texte im Alltag verstehen

Notieren Sie die Startzeit. **Start:** ________

Lesen Sie und kreuzen Sie an.

Möchte Englisch lernen
Biete Deutschstunden; nur abends
E-Mail: carola@uninetz.de

Wollen Sie Ihr Deutsch verbessern?
Privatstunden: Montag, Mittwoch; Freitag den ganzen Tag. Tel. 01805 / 372 376

VERKAUFE:
Doppelbett, Schrank, 4 Stühle und 1 runder Tisch, alles oder nichts für 200 €. Ruf an: 0671 / 54 33 0

Ich gehe ins Ausland – Alles muss weg!!!
Fernseher, Bett, Kühlschrank, Ledersessel, Bürostuhl, Regal. Jedes Stück 50 €
E-Mail: andy.brenner@stud.de

Zimmer (20m²) zu vermieten
3 Minuten zu Fuß von der Uni mit Küche und Balkon. 150 €
Tel. 0511 / 43 57 77

Tel. 0511 / 43 57 77 | Tel. 0511 / 43 57 77 | Tel. 0511 / 43 57 77

Lust auf Land
Zimmer in einem Bauernhof zu vermieten
Gute Busverbindungen in die Stadt
Tel. 0512 / 881 30 09

Suche Mitfahrgelegenheit: Ich will am Wochenende 4. und 5. Juni nach Berlin ins Grönemeyer-Konzert.
Tel. 0453 / 339 98 16 Karl-Heinz verlangen

Fahre jeden Freitag um ca. 22 Uhr nach Berlin.
Habe immer freie Plätze.
Kostenbeteiligung: 15 Euro. Tel. 034 / 263 81 33

☞ Filmbühne – Filmbühne – Filmbühne
Die Krimi-Nacht: Hitchcock, Chabrol, Carol Reed und … –
Start um 23.00 – 5 Filme zum Preis von 3 – 22. – 25. Juni
☞ Tickets unter Tel. 0661 / 777 07 07

„Lola rennt – immer noch."
Die Woche des deutschen Films.
Die besten Filme im Off-Film-Club. Vom 20. bis 26. Mai
Karten im Vorverkauf: 0661 / 848 44 81

1 Sie wollen weiter Deutsch lernen.
Sie arbeiten am Montag- und Freitagabend in einem Bistro. Rufen Sie an oder schreiben Sie:

a Tel. 01805 / 372 376
b carola@uninetz.de

2 Sie suchen ein Zimmer in der Nähe der Universität:

a Tel. 0512 / 881 30 09
b Tel. 0511 / 43 57 77

3 Sie brauchen ein Bett:

a Tel. 0671 / 54 33 0
b andy.brenner@stud.de

4 Sie möchten nächstes Wochenende nach Berlin fahren und haben kein Auto:

a Tel. 0453 / 339 98 16
b Tel. 034 / 263 81 33

5 Sie möchten morgen einen Film sehen. Heute ist der 23. Mai:

a 0661 / 848 44 81
b 0661 / 777 07 07

Wie lange haben Sie gebraucht? Notieren Sie.
Korrigieren Sie mit dem Lösungsschlüssel. Notieren Sie Ihre Punkte.

Ende: ________ **Zeit insgesamt:** ________ **Punkte (= Anzahl richtig):** ______

Hören

Was können Sie? Kreuzen Sie an.
Das kann ich:

- ☐ Ich kann Leute verstehen, wenn sie über Dinge im Alltag sprechen und wenn sie langsam, deutlich und mit Wiederholungen sprechen.
- ☐ Ich kann einem Gespräch folgen, wenn die Leute langsam und deutlich sprechen.
- ☐ Ich kann Fragen und kurze, einfache Anweisungen verstehen.
- ☐ Ich kann Zahlen, Preise und Zeitangaben verstehen.

Hören 1: Anweisungen, Zahlen, Preise und Zeitangaben verstehen

Hören Sie Index 86–90 auf der Arbeitsbuch-CD oder Index 2. 73–77 auf der Lehrbuch-CD und kreuzen Sie an.

1.	Man kann von 9 – 12 und 14 bis 17 Uhr anrufen.	richtig	falsch
2.	Die Hausaufgaben für morgen: Übung 5 und 18.	richtig	falsch
3.	Der ICE kommt um 20:12 an.	richtig	falsch
4.	Das Eis kostet 2 Euro 59.	richtig	falsch
5.	Maja muss morgen um 17 Uhr zum Arzt.	richtig	falsch

Korrigieren Sie mit dem Lösungsschlüssel und notieren Sie:

Wie oft gehört? ____________ **Punkte (= Anzahl richtig):** _______

Hören 2: Einem Gespräch folgen

Hören Sie Index 91–95 auf der Arbeitsbuch-CD oder Index 2. 78–82 auf der Lehrbuch-CD und kreuzen Sie an.

1 Was ist in der Suppe?

2 Was waren die Hausaufgaben?

lesen + hören | lesen + schreiben | lesen + sprechen

3 Wie ist die Telefonnummer?

0623 / 89 57 21 | 0632 / 98 57 21 | 0632 / 89 57 21

4 Wie spät ist es?

fünf nach zwölf | fünf vor zwölf | 12 vor fünf

5 Wie zahlt die Kundin?

Korrigieren Sie mit dem Lösungsschlüssel und notieren Sie:

Wie oft gehört? ____________ **Punkte (= Anzahl richtig):** _______

Schreiben

Was können Sie? Kreuzen Sie an.
Das kann ich:

- ☐ Ich kann einfache Mitteilungen an Freunde schreiben.
- ☐ Ich kann meinen Wohnort und meine Wohnung beschreiben.
- ☐ Ich kann auf Formularen meine persönlichen Daten eintragen.
- ☐ Ich kann einzelne, einfache Ausdrücke und Sätze schreiben.
- ☐ Ich kann eine kurze, einfache Postkarte oder E-Mail schreiben.
- ☐ Ich kann mit dem Wörterbuch kurze Briefe und Mitteilungen schreiben.

Schreiben 1: Formulare ausfüllen

Ergänzen Sie das Formular.

Was machen Sie gerne im Urlaub?

☐ Nichts tun ☐ mich amüsieren ☐ mich weiterbilden
☐ für Freunde und Familie da sein ☐ mich für eine gute Sache engagieren ☐ keine Angabe
☐ Abenteuer erleben ☐ meditieren und zu mir selbst finden

Wie viele Wochen Ferien haben Sie im Jahr? ____________ Wo waren Sie zuletzt in den Ferien? ____________

Name: ____________________ Vorname: ____________________

Geschlecht: ☐ männlich ☐ weiblich

Alter: ____________ Beruf: ____________________

Telefonnummer oder E-Mail-Adresse ____________________

Vergleichen Sie mit dem Lösungsschlüssel und notieren Sie Ihre Punkte.

Punkte: ________

Schreiben 2: Postkarte oder E-Mail schreiben

Schreiben Sie eine E-Mail:
Anrede, Dank; nicht kommen: 27.6.–13.7
Urlaub in Deutschland: Berlin – Hamburg;
Gruß

Liebe Freunde, liebe Nachbarn,
wir laden euch alle herzlich ein:

SOMMERFEST

Samstag, 29. Juni ab 20 Uhr

Bitte Stuhl und Glas mitbringen!
Maria und Klaus

Von:
An:
Betreff:

Vergleichen Sie mit dem Lösungsschlüssel und notieren Sie Ihre Punkte. **Punkte:** ________

Sprechen

Was können Sie? Kreuzen Sie an.
Das kann ich:

☐ Ich kann einfache Begrüßungen und Verabschiedungen verstehen und reagieren.

☐ Ich kann mich selbst und andere vorstellen und reagieren.

☐ Ich kann nach dem Befinden fragen und antworten.

☐ Ich kann mit einfachen Ausdrücken sagen: *Ich wohne ..., ich arbeite ...* .

☐ Ich kann mit einfachen Ausdrücken sagen: *Das mag ich, das mag ich nicht.*

☐ Ich kann andere Leute um Dinge bitten und mich bedanken.

☐ Ich kann Zahlen, Zeitangaben und Mengenangaben gut verständlich sprechen.

☐ Ich kann um Wiederholung bitten oder mit Gesten zeigen, wenn ich etwas nicht verstanden habe.

Sprechen: Über sich sprechen

Lesen Sie die Texte. Was stimmt für Sie? Was stimmt nicht? Markieren Sie mit zwei Farben.
Erzählen Sie über sich.

Gönül

Ich bin ein Sommertyp! Ich mag es, wenn es heiß ist. Ich gehe gerne schwimmen. Bei mir zu Hause ist fast immer Sommer. Seit zwei Semestern studiere ich in Innsbruck. Die Leute sind nett, die Stadt und die Berge sind schön – aber das Wetter, eine Katastrophe! Es ist einfach zu kalt! Ich lerne jetzt Snowboard fahren.

Martina

Alle schimpfen über das Wetter. Ich mag jede Jahreszeit. Ich mag Regen im Frühling und Schnee im Winter. Ich mag die Hitze im Sommer und die Farben im Herbst. Ich bin eigentlich ein „4-Jahreszeiten-Typ". Aber ich habe auch eine Lieblingsjahreszeit, den Winter. Wenn alles verschneit ist, ist die Welt so ruhig und friedlich.

Urs

Ich komme aus der Schweiz und arbeite im Moment als Programmierer in Uppsala. Hier im Norden dauert der Winter fast neun Monate. Es ist kalt und dunkel. Der Sommer ist kurz. Ich mag das Wetter und die Leute hier. Und meine Hobbys passen genau zu den Jahreszeiten: Radfahren, Schwimmen und Ski-Langlauf.

Andrés

Bei uns in Mexiko ist jetzt Herbst – über 30 Grad heiß. Wir kennen nur zwei „Jahreszeiten": Die Regenzeit und die Trockenzeit. Das Wetter hier in Berlin ist ganz anders: Im Winter kalt, im Sommer warm und trocken. Wenn es kalt ist, kann man gemütlich zu Hause sitzen und im Sommer kann man mit Freunden ein „Barbecue" im Park machen.

Erzählen Sie über sich: Name? Alter? Land? Wohnort? Wettertyp?

Bewerten Sie oder fragen Sie Ihre Lehrerin / Ihren Lehrer. Notieren Sie Ihre Punkte.

Aufgabe gut erfüllt mit wenig Fehlern = 3 Punkte
Aufgabe knapp erfüllt mit Fehlern = 1.5 Punkte
Aufgabe nicht verstanden und viele Fehler = 0 Punkte
Aussprache: gut = 2 Punkte; knapp verständlich = 1 Punkt ; nicht verständlich = 0 Punkte

Punkte: ________ **x 2 =** ________

Test auswerten

Notieren Sie Ihre Punkte.

Resultate	Meine Punkte	Maximal
Lesen 1		5
Lesen 2		5
Hören 1		5
Hören 2		5

	Meine Punkte	Maximal
Schreiben 1		5
Schreiben 2		5
Sprechen		10
Total		40

Wo stehen Sie? Markieren Sie und vergleichen Sie mit der Grafik.

A	40–31 Punkte	Super! Ich bin auf dem Niveau A1.
B	30–21 Punkte	Ich bin noch nicht ganz auf dem Niveau A1. Ich muss noch weiter üben.
C	< 20 Punkte	Ich bin leider noch nicht auf dem Niveau A1 und muss noch sehr viel wiederholen.

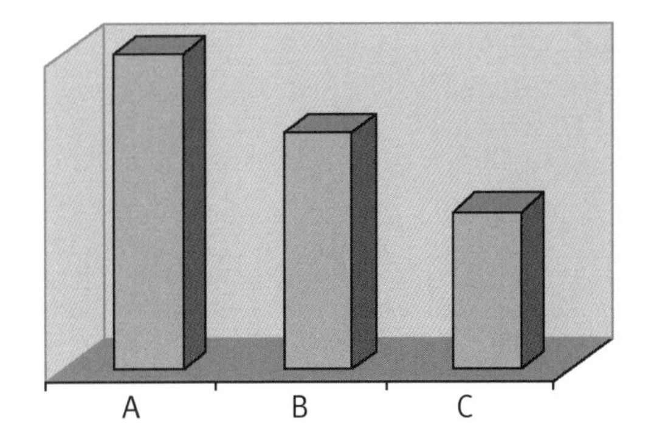

Wie geht es weiter?

Wie war es? Wie geht es weiter?

Schreiben Sie einen oder zwei Sätze auf Deutsch an die Tafel.

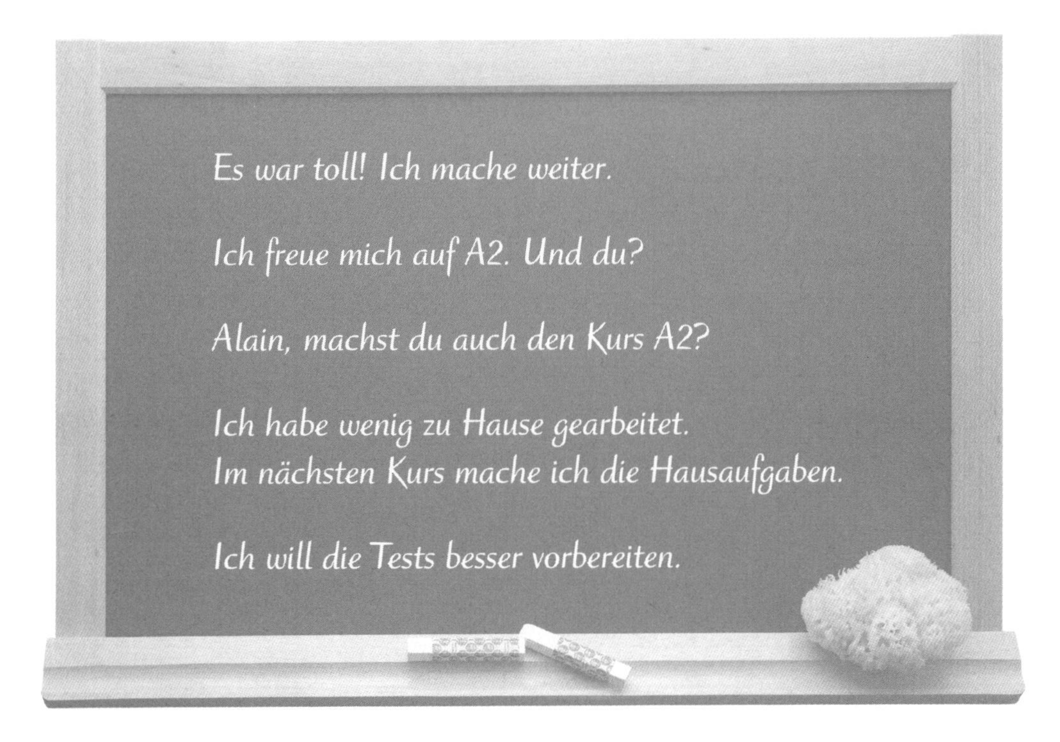

Redemittel

3 6 20 9 17 35 49

Wie ist deine Telefonnummer?	**531 67 90 (Fünf – drei – eins – sechs – sieben – neun – null).**
Und wie ist die Postleitzahl?	**25845 Nordstrand/Hamburg.**

0	**null**	**10**	**zehn**	**20**	**zwanzig**
1	eins	11	**elf**	21	**ein**undzwanzig
2	zwei	12	**zwölf**	22	zweiundzwanzig
3	drei	13	dreizehn	23	dreiundzwanzig
4	vier	14	vierzehn	24	vierundzwanzig
5	fünf	15	fünfzehn	25	fünfundzwanzig
6	sechs	16	**sech**zehn	26	sechsundzwanzig
7	sieben	17	**sieb**zehn	27	siebenundzwanzig
8	acht	18	achtzehn	28	achtundzwanzig
9	neun	19	neunzehn	29	neunundzwanzig
			...+ zehn		**...+ undzwanzig**

30	**dreißig**
31	einunddreißig
32	
33	
	... + unddreißig

40	**vierzig**
41	einundvierzig
42	
43	
	... + undvierzig

50	**fünfzig**
51	einundfünfzig
52	
53	
	... + undfünfzig

60	**sechzig**
61	einundsechzig
62	
63	
	... + undsechzig

70	**siebzig**
71	einundsiebzig
72	
73	
	... + undsiebzig

80	**achtzig**
81	einundachtzig
82	
83	
	... + undachtzig

90	**neunzig**
91	einundneunzig
92	
93	
	... + undneunzig

100	**hundert**
101	hunderteins
102	
103	
	hundert + ...

110	**hundertzehn**
111	
112	
113	
	hundert + ...

Wie spät ist es? — **9.30 (Neun Uhr dreißig).**
Wann sehen wir uns? — **Um sieben.**
Wann fährt der Zug? — **Um 18:14 (Um achtzehn Uhr vierzehn).**

	offiziell	**inoffiziell**
7.00/19.00	sieben/neunzehn **Uhr**	sieben (Uhr)
7.05/19.05	sieben/neunzehn **Uhr** fünf	fünf **nach** sieben
7.15/19.15	sieben/neunzehn **Uhr** fünfzehn	Viertel nach sieben
7.30/19.30	sieben/neunzehn **Uhr** dreißig	**halb** acht
7.45/19.45	sieben/neunzehn **Uhr** fünfundvierzig	Viertel **vor** acht
7.55/19.55	sieben/neunzehn **Uhr** fünfundfünfzig	fünf **vor** acht

die Stunde – die Minute – die Sekunde

Der Wievielte ist heute? — **Heute ist der zehnte Januar.**
Wann hast du Geburtstag? — **Am 18. Oktober (Am achtzehnten Oktober).**
Wann ist das Fest? — **Am 5. Juli (Am fünften Juli).**

NOVEMBER	
1 Sa	
2 So	
3 Mo	
4 Di	
5 Mi	
6 Do	
7 Fr	

	der		der		der		der
		10.	zehn**te**	20.	zwanzig**ste**	30.	dreißigste
1.	**erste**	11.	elfte	21.	einundzwanzigste	31.	einunddreißigste
2.	zweite	12.	zwölfte	22.	zweiundzwanzigste		
3.	**dritte**	13.	dreizehnte	23.	dreiundzwanzigste		
4.	vierte	14.	vierzehnte	24.	vierundzwanzigste		
5.	fünfte	15.	fünfzehnte	25.	fünfundzwanzigste		
6.	sechste	16.	sechzehnte	26.	sechsundzwanzigste		
7.	**siebte**	17.	siebzehnte	27.	siebenundzwanzigste		
8.	achte	18.	achtzehnte	28.	achtundzwanzigste		
9.	neunte	19.	neunzehnte	29.	neunundzwanzigste		

...+ te **...+ ste**

Wann hast du Geburtstag? — **Im Oktober.**
Wann kommen Sie wieder? — **Im Frühling.**
Wann ist das Fest? — **Am Freitag.**
Wann genau? — **Am Mittag, genau um zwölf.**

	im Januar	am Montag	
	im Februar	am Dienstag	
	im März	am Mittwoch	am Morgen
im Frühling	im April	am Donnerstag	am Vormittag
im Sommer	im Mai	am Freitag	am Mittag
im Herbst	im Juni	am Samstag /	am Nachmittag
im Winter	im Juli	am Sonnabend	am Abend
	im August	am Sonntag	
	im September		in der Nacht
	im Oktober	am Wochenende	
	im November		
	im Dezember		

die Jahreszeit – der Monat – der Tag – die Tageszeit

Redemittel

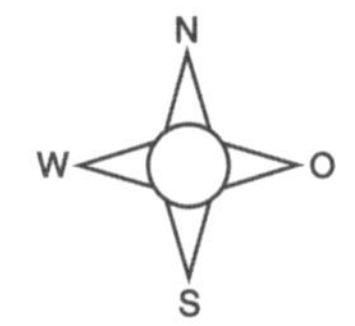

Woher kommen Sie?	**Aus Südamerika. Aus Mexiko.**
Und wo wohnen Sie?	**Ich wohne in Mexiko, in Puebla.**
Und wo liegt das.	**Im Süden.**
Und welche Sprachen sprechen Sie?	**Spanisch und Englisch.**

Und wohin fahren Sie in Urlaub?	**Nach Portugal.**
Wohin fliegst du?	**In die Schweiz.**

Kontinente

Afrika	afrikanisch
Asien	asiatisch
Australien	australisch
Europa	europäisch
Nordamerika	nordamerikanisch
Südamerika	südamerikanisch

Länder

Deutschland	deutsch
Österreich	österreichisch
die Schweiz	schweizerisch
Brasilien	brasilianisch
China	chinesisch
Frankreich	französisch
Griechenland	griechisch
Indien	indisch
der Iran	iranisch
Italien	italienisch
Mexiko	mexikanisch
die Niederlande (Plural)	niederländisch
Polen	polnisch
Russland	russisch
die Slowakische Republik	slowakisch
Slowenien	slowenisch
Spanien	spanisch
Taiwan	taiwanesisch
die Tschechische Republik	tschechisch
die Türkei	türkisch
Ungarn	ungarisch
die USA (Plural)	
Venezuela	venezolanisch

Woher kommst du?	**Wo wohnst du?**	**Wo liegt das?**	**Wohin fährst du?**
aus Afrika	in Afrika	im Norden	nach Afrika
aus Tunesien	in Tunesien	im Süden	nach Tunesien
		im Osten	
aus der Schweiz	in der Schweiz	im Westen	in die Schweiz
aus den USA	in den USA	im Zentrum	in die USA

Und welche Farbe haben deine Träume?	**Ich träume bunt.**
Und wie ist das Meer dort?	**Blau, hellblau und sauber.**

rot – weiß – grün – gelb – schwarz – blau – orange – violett – braun – grau

Hallo, Gabi!	**Hallo, Martina! Wie geht's?**
Guten Tag, Frau Huber.	**Guten Tag, Frau Becker. Wie geht es Ihnen?**
Auf Wiedersehen!	**Bis bald.**
Tschau!	**Tschüs!**
Guten Tag, Frau Huber.	Guten Tag, Frau Becker. Wie geht es Ihnen?
Danke gut. Und Ihnen?	Danke, es geht. Was machen Sie heute?
Auf Wiedersehen. Bis bald.	Gut, dann viel Glück und auf Wiedersehen.
Hallo, Gabi!	Hallo, Sarah!
Wie geht es dir?	Nicht so gut. Mir geht es schlecht.
Tschau!	Tschüs!

Entschuldigung!	**Ja, bitte?**
Wo ist die Touristeninformation?	**Da vorne, links.**
Danke.	**Bitte.**
Entschuldigung!	Ja, bitte?
Ich suche die Touristeninformation.	Gehen Sie da geradeaus, ungefähr 100 Meter.
Wo ist das Hotel Lindenhof, bitte?	Das ist im Zentrum. Sehen Sie hier. Wir sind hier. Gehen Sie Richtung Zentrum ...
Wie komme ich nach St. Peter-Ording?	Das ist ganz einfach. Am Flughafen nimmst du den Bus zum Hauptbahnhof. Dann nimmst du den Zug bis St. Peter-Ording. Dort gehst du zu Fuß zum Hotel. Du kannst auch ein Taxi nehmen.
Entschuldigung, können Sie uns helfen? Wir suchen das Nolde-Museum.	Nehmen Sie die zweite Straße links und dann immer geradeaus.
Wie weit ist das?	Etwa zehn Kilometer. Und kurz vor Klanxbüll dann ...

Hast du heute Abend Zeit?	**Ja, natürlich.**
Ich gehe ins Konzert. Kommst du mit.	**Einverstanden.**
Hast du am 2. August Zeit?	Nein, ich habe keine Zeit.
Kommst du zum Fest?	Ja, ich komme gerne.
Heute um 14 Uhr im Café „Aroma“.	Tut mir Leid, das ist nicht möglich.
Geht 15 Uhr?	Ja, das geht, da habe ich Zeit.
Gut, dann um 15 Uhr.	Fein!
Ich gehe in die Nationalgalerie.	
Kommst du mit?	Einverstanden!
Hast du Zeit?	Ja, natürlich.
Heute Abend gehen wir noch ins Kino.	
Hast du Lust?	Das geht leider nicht. Ich muss noch arbeiten.

Mögen Sie Jazz?	**Nein, ich höre lieber klassische Musik.**
Wie gefällt dir das Bild?	**Überhaupt nicht. Und dir?**
Wie finden Sie das Konzert?	**Sehr schön. Und Sie?**
Wie findest du das Konzert?	Spitze!
Wie finden Sie Mozart?	Sehr gut.
Wie gefällt dir das?	Das finde ich originell.
Das ist sehr schön, gratuliere!	Danke, uns gefällt es auch.
Hast du das Bild gesehen?	Ja, es gefällt mir nicht so gut.
Wie gefallen dir die Möbel?	Überhaupt nicht. Die passen nicht zusammen.
Magst du Volksmusik?	Nein, ich mag lieber Rock.
Mögen Sie Jazz?	Ja, ich mag Jazz.
Welche Musik hörst du gerne?	Klassik.
Welche Musik hören Sie nicht gerne?	Techno mag ich nicht.
Wie findest du die Bluse?	Die sieht sehr hübsch aus! Toll!
Was trägst du gerne?	In der Freizeit trage ich gerne Jeans.

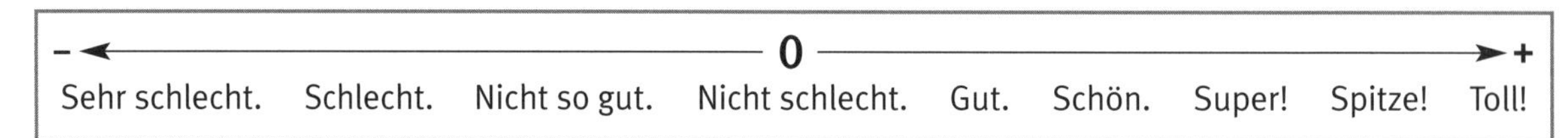

Guten Appetit!	**Danke, Ihnen auch.**
Schmeckt's?	**Danke, es geht.**
Wie ist das Essen?	Es ist ganz frisch. Es schmeckt gut.
Was ist das?	Das ist ein Gericht aus Thailand.
Wie schmeckt das?	Sehr gut!
Schmeckt's?	Das schmeckt mir nicht.
Ist das scharf?	Ein bisschen.
Möchtest du mal versuchen?	Ja, gerne.
Das musst du probieren.	Nein, danke, lieber nicht.
Guten Appetit!	Danke.
Zum Wohl!	Prost!
Auf dich!	Auf uns!

Ich möchte gerne einen Stadtplan.	**Hier, bitte.**
Haben Sie auch Karten?	**Aber sicher.**
Ich möchte gerne den Stadt-Prospekt.	Hier, bitte.
Ich möchte auch einen Stadtplan, bitte.	Gerne.
Haben Sie auch das Touristen-Ticket?	Nein, leider nicht. Tickets gibt es im Bahnhof.
Vielen Dank.	Bitte.

Was möchten Sie?	**Einen Tee, bitte.**
Wer ist dran?	**Ich möchte 100 Gramm Spinat.**
Kann ich Ihnen helfen?	**Danke, ich möchte mich nur umsehen.**

Was möchten Sie?	Ich nehme das Bio-Frühstück und Tee.
Sonst noch etwas?	Kann ich ein Käse-Sandwich haben?
Kommt sofort.	Zahlen, bitte!
Das macht zusammen 11 Euro 20.	Hier, bitte.
Wer ist dran?	Ich möchte 100 Gramm Spinat.
Ist das alles?	Haben Sie Ingwer?
Ja, ganz frisch!	Was kostet das?
Das kostet 12 Euro.	Hier, bitte.
Kann ich Ihnen helfen?	Danke, ich möchte mich nur umsehen.
Welche Größe haben Sie?	Ich suche XL. Ich habe Größe 52.
Der passt gut.	Der gefällt mir nicht. Haben Sie den auch in Grün?

Entschuldigung, ist hier noch frei?	**Tut mir Leid, hier ist besetzt.**
Die Fahrkarte, bitte!	**Moment bitte, ...**

Entschuldigung, ist hier noch frei?	Ja bitte. Ich nehme die Tasche weg.
Darf man hier rauchen?	Nein, hier ist Nichtraucher.
Ist das der Zug nach Hamburg?	Ja sicher.
Wo ist das Restaurant?	Im zweiten Wagen.
Hat der Zug Verspätung?	Nein, er ist pünktlich.
Die Fahrkarte bitte!	Moment bitte, in Hamburg habe ich sie gekauft, aber jetzt ...
Kann ich den Pass sehen?	Moment mal, ich habe ihn doch gerade noch gehabt.

Entschuldigung, ich verstehe Sie leider nicht.
Kannst du das bitte wiederholen?

Die Ausstellung ist in der Orangerie.	Wie bitte?
In der O – ran – ge – rie.	Buchstabieren Sie bitte!
O – eR – A ...	Ach so! Danke!

Entschuldigung, ich verstehe Sie leider nicht.
Bitte noch einmal!
Kannst du das bitte wiederholen?
Bitte langsam.
Nicht so schnell bitte.
Wie schreibt man das?
Können Sie das bitte buchstabieren?

Redemittel

Wo wohnst du? **Und wie groß ist die Wohnung?**	**In der Stadt. Im Zentrum.** **Nicht so groß. Zwei Zimmer, Küche und WC.**
Wo wohnst du?	Ich wohne in einem Dorf, auf dem Land.
Wo liegt das?	Im Norden. An der Grenze.
Was ist dort berühmt?	Da hat der Maler Emil Nolde gelebt.
Seit wann wohnst du dort?	Seit drei Jahren.
Wo hast du früher gewohnt?	In der Stadt, im Zentrum von Hamburg.

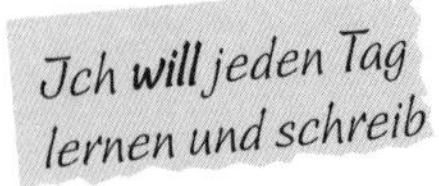

Young Gods Tour-Plan

	Woche 1
Januar	
Februar	
März	D: Potsdam, Berlin
April	
Mai	USA: New York
Juni	Brasilien: São Paulo
Juli	

Wo spielen die Young Gods im März? **Wann spielen sie in Bonn?**	**In Deutschland, in Hamburg.** **Am fünfzehnten März.**
Wo spielen die Young Gods im März?	In Deutschland, in Berlin.
Wohin gehen sie im Juni?	Nach Südamerika, nach Chile.
Von wann bis wann sind sie in der Schweiz?	Vom sechzehnten bis einundzwanzigsten Januar.
Wie lange sind sie in Asien?	Zwei Wochen.
Wann spielen die Young Gods in Bremen?	Am fünften März.

Ich will jeden Tag lernen und schreib

Wie oft lernst du Deutsch? **Was machst du gerne?**	**Zweimal in der Woche.** **Ich arbeite gerne mit dem Computer.**
Wie oft lernst du Deutsch?	Jeden Tag.
Wie lernst du?	Ich besuche einen Deutschkurs.
Was machst du noch?	Ich höre Radio. Und ich schreibe viel.
Was machst du gerne?	Ich höre gerne CDs.
Was findest du wichtig?	Verstehen finde ich sehr wichtig. Und sprechen.
Wie oft wiederholst du?	Immer nach dem Kurs.
Wie lange lernst du?	Eine halbe Stunde. Dann mache ich eine Pause.
Wie lernst du Wörter?	Ich schreibe die Wörter auf Kärtchen.

Guten Abend. Schön, dass Sie kommen. **Alles Gute zum Geburtstag!**	**Danke für die Einladung.** **Danke.**
Guten Abend. Schön, dass Sie kommen.	Danke für die Einladung.
Was kann ich Ihnen anbieten? Es gibt … .	Ein Glas Wasser, bitte.
Was möchtest du trinken?	Danke, im Moment nichts.
Was nimmst du?	Einen Saft, bitte.
Hier, die sind für Sie.	Vielen Dank für die Blumen.
Das ist für dich.	Das ist aber lieb von dir.
Alles Gute zum Geburtstag!	Danke.

Wie geht es Ihnen?	Nicht so gut. Ich habe Zahnschmerzen.
Haben Sie Schmerzen?	**Ja, hier.**
Wie geht es Ihnen?	Schlecht, mir geht's nicht gut.
Haben Sie Fieber?	Das weiß ich nicht. Ich habe nicht gemessen.
Haben Sie Kopfschmerzen?	Ja, und ich bin müde.
Seit wann haben Sie die Schmerzen?	Gestern hatte ich noch keine Schmerzen, aber ...
Wo tut es genau weh?	Vor allem hier, in den Armen und Beinen.
Rauchen Sie viel?	Ja.
Wie viel rauchen Sie?	Zwei bis drei Schachteln am Tag.
Wie fühlen Sie sich?	Nicht so gut.
Essen Sie viel?	Nein, eher wenig.
Wie schwer sind Sie?	120 Kilo.
Treiben Sie Sport?	Ein bisschen. Ich jogge manchmal.
Wie oft joggen Sie pro Woche?	Einmal. Am Wochenende.

Was kostet das?	Alles zusammen 19 Euro 20.
Wie teuer ist die Bluse?	**50 Euro.**
Ist die Bluse teuer?	Ja, die ist teuer.
Entschuldigung, wie teuer ist die Bluse?	50 Euro.
Und was kostet die Hose?	120 Euro.
Das ist aber teuer.	Ich hab's ja gesagt. Das ist viel zu teuer für uns.

Verb und Subjekt: Konjugation Präsens

jetzt
ich spreche,
du hörst ...

→ K 2, K 7

	gehen	finden	haben	**Endung**	sein
Singular					
ich	geh**e**	find**e**	hab**e**	-e	**bin**
du	geh**st**	find**est**	ha**st**	-(e)st	**bist**
Sie	geh**en**	find**en**	hab**en**	-en	**sind**
er/es/sie	geh**t**	find**et**	ha**t**	-(e)t	**ist**
Plural					
wir	geh**en**	find**en**	hab**en**	-en	**sind**
ihr	geh**t**	find**et**	hab**t**	-(e)t	**seid**
Sie	geh**en**	find**en**	hab**en**	-en	**sind**
sie	geh**en**	find**en**	hab**en**	-en	**sind**

⚠ **e → i** sprechen, nehmen, geben, helfen, lesen, sehen, treffen, vergessen

*sprechen: ich spreche, du spr**i**chst, er/es/sie spr**i**cht, wir sprechen, ...*

⚠ **a → ä** schlafen, fahren, laufen

*schlafen: ich schlafe, du schl**ä**fst, er/es/sie schl**ä**ft, wir schlafen, ...*
fahren: ich fahre, ...

Modalverben

jetzt
du kannst,
du willst,
du musst ...

→ K 5

	können	müssen	wollen	**Endung**	möcht-
Singular					
ich	kann	muss	will	–	möcht**e** ⚠
du	kann**st**	muss**t**	will**st**	-st	möcht**est** ⚠
Sie	könn**en**	müss**en**	woll**en**	-en	möcht**en**
er/es/sie	kann	muss	will	–	möcht**e** ⚠
Plural					
wir	könn**en**	müss**en**	woll**en**	-en	möcht**en**
ihr	könn**t**	müss**t**	woll**t**	-t	möcht**et** ⚠
Sie	könn**en**	müss**en**	woll**en**	-en	möcht**en**
sie	könn**en**	müss**en**	woll**en**	-en	möcht**en**

Perfekt

Perfekt-Formen: **„haben"/„sein" + Partizip II**
Ines **hat** zwei Stunden auf Robert **gewartet**. Aber er **ist** nicht **gekommen**.
Ich **habe** zwei Stunden auf dich **gewartet**. Aber du **bist** nicht **gekommen**.

früher
ich habe gewartet, du bist gekommen …

→ K 7, K 8

Partizip II

regelmäßige Verben	**unregelmäßige Verben**	**Verben auf *-ieren***
ge- … -(e)t	**ge- … -en**	**- - … -t**
ge-mach-t	ge-schlaf-en	telefonier-t
ge-wart-et	ge-gess-en	diskutier-t
ge-such-t	ge-komm-en	korrigier-t

Verben mit trennbarem Präfix
(an-, auf-, aus-, mit-, um-, vor-, …)
Präfix + - ge - …-(e)t/-en

an-/ge-brann-t
auf-/ge-wachs-en
aus-/ge-gang-en
mit-/ge-brach-t
um-/ge-zog-en
vor-/ge-stell-t

Verben mit nicht trennbarem Präfix
(be-, ent-, er-, ver-, …)
ohne „-ge-"

be-zahl-t
ent-wickel-t
er-klär-t
ver-gess-en

Präteritum

„haben", „sein" und Modalverben („können", „müssen", „wollen")

	sein	Endung	haben	Endung	können	müssen	wollen
ich	war	- -	ha tt **e**	-e	konn t **e**	muss t **e**	woll t **e**
du	war **st**	-st	ha tt **est**	-est	konn t **est**	muss t **est**	woll t **est**
Sie	war **en**	-en	ha tt **en**	-en	konn t **en**	muss t **en**	woll t **en**
er/es/sie	war	- -	ha tt **e**	-e	konn t **e**	muss t **e**	woll t **e**
wir	war **en**	-en	ha tt **en**	-en	konn t **en**	muss t **en**	woll t **en**
ihr	war **t**	-t	ha tt **et**	-et	konn t **et**	muss t **et**	woll t **et**
Sie	war **en**	-en	ha tt **en**	-en	konn t **en**	muss t **en**	woll t **en**
sie	war **en**	-en	ha tt **en**	-en	konn t **en**	muss t **en**	woll t **en**
	war-		**ha tt-**		**konn t-**	**muss t-**	**woll t-**

früher
ich war, ich hatte, ich konnte …

→ K 8

Imperativ Singular

informell:
Verbstamm + Endung **-e** oder - -

Wiederhole oft. **Mach** eine Pause.
Komm schnell!

formell:
Infinitiv + Sie

Wiederhol en Sie oft. **Mach en Sie** eine Pause.
Komm en Sie schnell!

!

→ K 6

Substantiv: Plural-Endungen

→ K 3

-e	-n	-(n)en	¨-er	☐	-s
das Heft → die Heft-e	die Schule → die Schule-n	die Musikerin → die Musikerin-nen	das Buch → die B ü ch-er	der Musiker → die Musiker ☐	das Auto → die Auto-s

Substantiv und Artikelwörter: Deklination

bestimmter Artikel

→ K 2, K 6

Singular	maskulin	neutrum	feminin	Plural
Nominativ	der Weg	das Buch	die Straße	die Wege, Bücher, Straßen
Akkusativ	de**n** Weg	das Buch	die Straße	die Wege, Bücher, Straßen
Dativ	de**m** Weg	de**m** Buch	de**r** Straße	de**n** Wege**n**, Bücher**n**, Straße**n**

unbestimmter Artikel, negativer Artikel, Possessiv-Artikel

→ K 3, K 4, K 6, K 9

Singular	maskulin	neutrum	feminin	Plural
Nominativ	ein/kein/mein Mantel	ein/kein/mein Buch	eine/keine/ meine Straße	☐ /keine/meine Mäntel, Bücher, Straßen
Akkusativ	eine**n**/keine**n**/ meine**n** Mantel	ein/kein/mein Buch	eine/keine/ meine Straße	☐ /keine/meine Mäntel, Bücher, Straßen
Dativ	eine**m**/keine**m**/ meine**m** Mantel	eine**m**/keine**m**/ meine**m** Buch	eine**r**/keine**r**/ meine**r** Straße	☐ /keine**n**/meine**n** Mäntel**n**, Bücher**n**, Straße**n**

Possessiv-Artikel

→ K 9

Personal-pronomen	ich	du	Sie	er	es	sie	wir	ihr	Sie	sie
Possessiv-Artikel	mein-	dein-	Ihr-	sein-	sein-	ihr-	unser-	euer-	Ihr	ihr

Nominativ: Das ist mein/dein/sein/ihr/Ihr Mantel.
Das ist mein/dein/sein/ihr/Ihr Hemd.
Das ist meine/deine/seine/ihre/Ihre Tasche.

Akkusativ: Wer hat meinen/deinen/seinen/ihren/Ihren Mantel?
Wer hat mein/dein/sein/ihr/Ihr Hemd?
Wer hat meine/deine/seine/ihre/Ihre Tasche?

Dativ: Das passt gut zu meinem/deinem/seinem/ihrem/Ihrem Mantel.
Das passt gut zu meinem/deinem/seinem/ihrem/Ihrem Hemd.
Das passt gut zu meiner/deiner/seiner/ihrer/Ihrer Tasche.

Interrogativ-Artikel

Singular	maskulin	neutrum	feminin	**Plural**
Nominativ	welcher Pullover?	welches Hemd?	welche Hose?	welche Pullover, Hemden, Hosen?
Akkusativ	welche**n** Pullover?	welches Hemd?	welche Hose?	welche Pullover, Hemden, Hosen?

→ K 11

Pronomen: Deklination

Personalpronomen

Singular							**Plural**			
Nominativ	ich	du	Sie	er	es	sie	wir	ihr	Sie	sie
Akkusativ	mich	dich	Sie	ihn	es	sie	uns	euch	Sie	sie
Dativ	mir	dir	Ihnen	ihm	ihm	ihr	uns	euch	Ihnen	ihnen

→ K 2, K 7, K 9

Nominativ: Das bin **ich**. – Akkusativ: Ich sehe **dich**. – Dativ: Das Buch gefällt **ihm**.

Reflexivpronomen

→ K 10

Singular								**Plural**			
Reflexivpronomen	Akkusativ	mich	dich	**sich**	**sich**			uns	euch	**sich**	**sich**
Personalpronomen	Nominativ	ich	du	Sie	er	es	sie	wir	ihr	Sie	sie
	Akkusativ	mich	dich	Sie	ihn	es	sie	uns	euch	Sie	sie

Adjektive

prädikativ = unverändert
Der Pullover ist neu.

attributiv = mit Endung
Das ist **der** neu**e** Pullover.

→ K 11

Nominativ	**Akkusativ**	
Das ist **der** neu**e** Pullover.	Hast du **den** neu**en** Pullover?	Hast du ein**en** neu**en** Pullover?
Das ist **das** neu**e** Kleid.	Hast du **das** neu**e** Kleid?	Hast du ein neu**es** Kleid?
Das ist **die** neu**e** Hose.	Hast du **die** neu**e** Hose?	Hast du ein**e** neu**e** Hose?
Das sind **die** neu**en** Kleider.	Hast du **die** neu**en** Kleider?	Hast du ☐ neu**e** Kleider?
	nach bestimmtem Artikel	**nach unbestimmtem Artikel**

Präpositionen

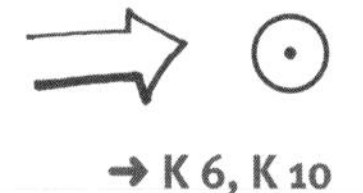

➜ K 6, K 10

Wechselpräpositionen mit Dativ oder Akkusativ:
an, in, hinter, vor, auf

Richtung / Bewegung

Position / Ruhe

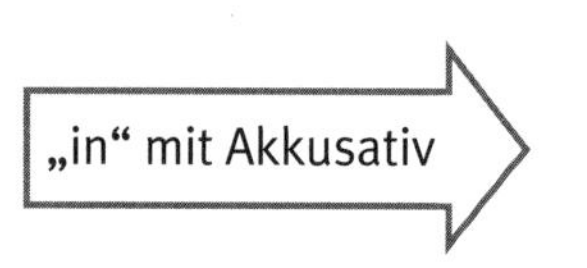

~~in das~~ ➜ **ins**; ~~in dem~~ ➜ **im**
~~an dem~~ ➜ **am**

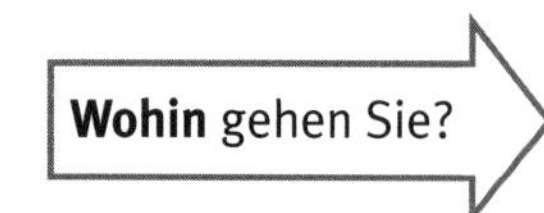

In den Kurs.
Ins Büro.
In die Schule.

Im Kurs.
Im Büro.
In der Schule.

Präpositionen mit Dativ: mit, nach, zu
Giovanna geht **nach** de**m** Kurs nach Hause. Dann arbeitet sie **mit** de**m** Computer.
Heute Abend geht sie **zum** Kursfest.

Präpositionen mit Akkusativ: bis, für, ohne, über
Die Ausstellung geht **bis** nächste Woche.
Danke **für** die E-Mail.
Was gibt es hier **ohne** Fleisch?
Sie sprechen **über** die Arbeit.

Sätze: Hauptsätze

1 2

➜ K 1, K 2, K 6, K 8

	1	2		
Aussagesatz	Ich	heiße	Andrés.	
	Morgen	ist	das Kursfest.	
W-Frage	Wo	wohnst	du?	
	Wann	kommst	du?	
Ja-/Nein-Frage	Hast	du	morgen Zeit?	Ja. / Nein
	Hast	du	morgen keine Zeit?	Doch. / Nein.
Aufforderungssatz	Markieren	Sie	die Verben.	
	Hören	Sie.		

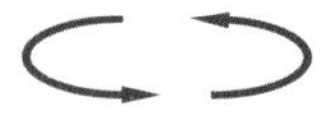

Position des Subjekts im Aussagesatz

➜ K 5

1	2	3	
Das Kursfest	ist	morgen.	
Morgen	ist	**das Kursfest.**	
Die Leute	haben	nach der Arbeit	wenig Zeit.
Nach der Arbeit	haben	**die Leute**	wenig Zeit.

Satzbaupläne: Verb und Ergänzungen

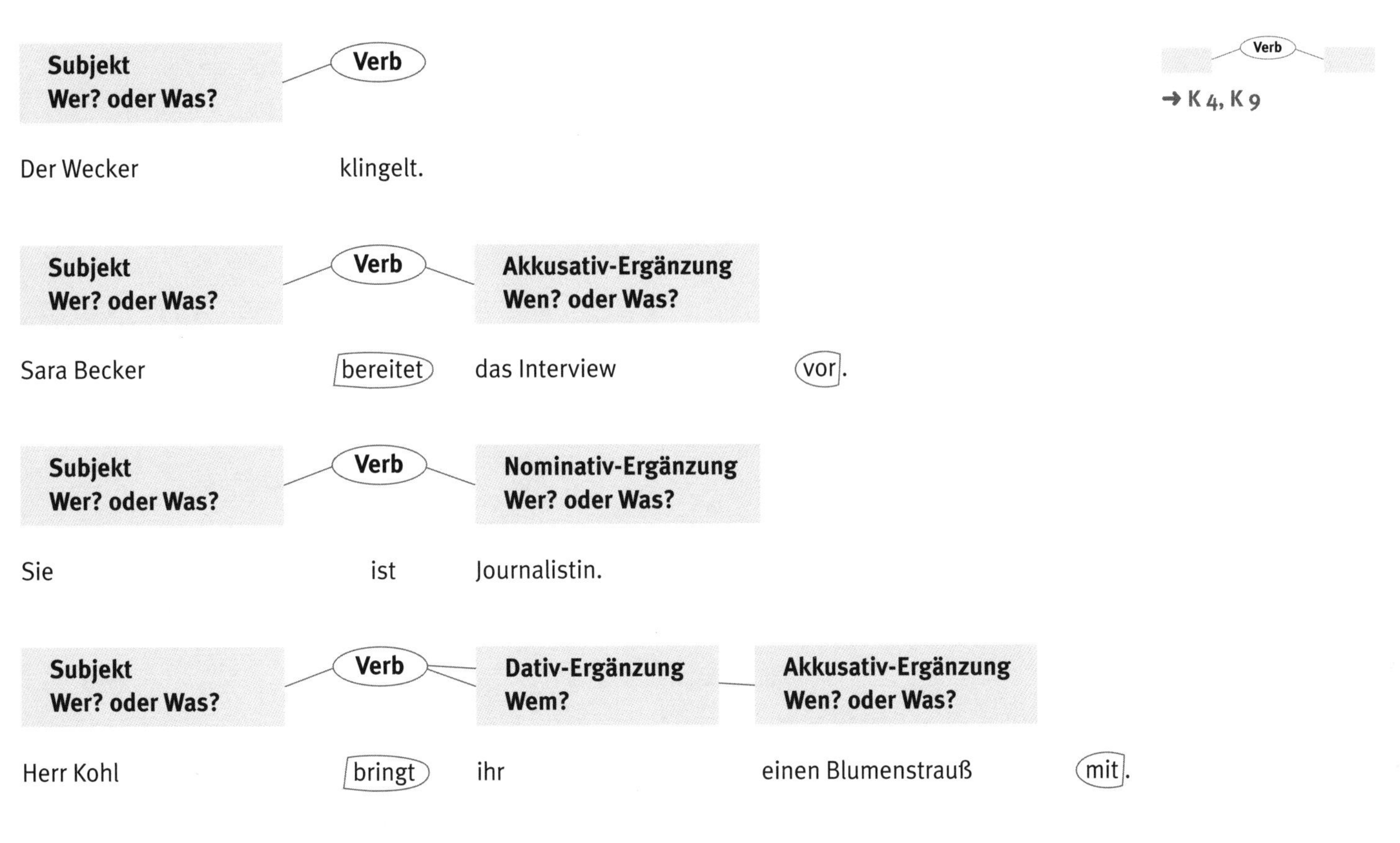

Verben mit Dativ- und Akkusativ-Ergänzung:
anbieten, bringen, geben, schenken, schicken

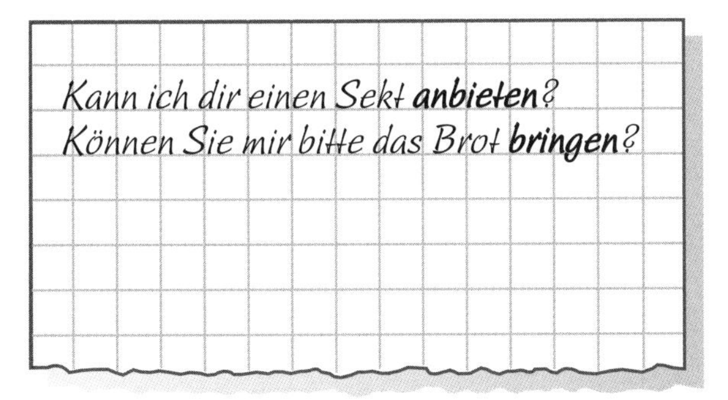

[ ] Satzklammer

→ K 4, K 5, K 7

Hauptsatz

		Satzklammer		
Trennbare Verben	*Sara Becker*	*steht* *Stehst*	*nicht gerne* *du gerne*	*auf.* *auf?*
Modalverben	*Ich*	*muss* *Willst*	*noch* *du*	*einkaufen.* *mitkommen?*
Perfekt	*Robert* *Petra*	*hat* *ist*	*lange* *gestern*	*geschlafen.* *gekommen.*

→ K 10

Nebensatz mit „wenn“: Hauptsatz vor Nebensatz

Hauptsatz	Nebensatz		
Die Leute gehen zum Arzt,	*wenn*	*sie Schmerzen*	*haben.*
	Subjunktor		**Verb**

Nebensatz vor Hauptsatz

Nebensatz				Hauptsatz
Wenn	*sie*	*Schmerzen*	*haben,*	*gehen die Leute zum Arzt.*
Subjunktor			**Verb**	

Textreferenz

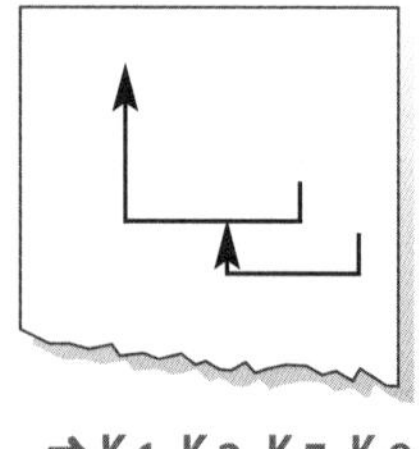

→ K 1, K 3, K 7, K 9

Gestern war **ein** Konzert in Bern. **Das** Konzert war super! Die Young Gods haben gespielt.

Ich wollte Peter treffen, aber ich habe **ihn** nicht gesehen. Oder **er** hat **mich** nicht gesehen.

Ich habe **ihm** zwei SMS geschickt – aber er hat **mir** nicht geantwortet. Er hat **sein** Handy vergessen! Aber das Konzert war super.

Die Band ist sehr gut und ich habe **ihre** neue CD gekauft.

unbestimmter Artikel – bestimmter Artikel
(ein, ein, eine – der, das, die)

Personalpronomen
(ich, du, ...)

Possessiv-Artikel
(mein-, dein-, sein-,...)

Beispiel	Terminus	Ihre Sprache
Wörter		
gehen, lesen, lernen, ...	das Verb	______
können, müssen, wollen, dürfen	das Modalverb	______
der **Tisch,** das **Haus,** die **Tasche**	das Substantiv	______
der Tisch, **das** Haus, **die** Tasche	der bestimmte Artikel	______
ein Tisch, **ein** Haus, **eine** Tasche	der unbestimmte Artikel	______
kein Tisch, **kein** Haus, **keine** Tasche	der negative Artikel	______
mein Tisch, **dein** Haus, **seine** Tasche	der Possessiv-Artikel	______
welcher Tisch?, **welches** Haus?, **welche** Tasche?	der Interrogativ-Artikel	______
ich gehe, **du** gehst, **er** geht, ...	das Personalpronomen	______
ich konzentriere **mich,** er setzt **sich,** ...	das Reflexivpronomen	______
Das Hemd ist **weiß.**	das Adjektiv: prädikativ	______
Er kauft das **weiße** Hemd.	das Adjektiv: attributiv	______
Das Buch liegt **auf/unter/neben** dem Stuhl. Sie arbeitet **mit** der CD. ...	die Präposition	______
Ich komme, **wenn** ich Zeit habe.	der Subjunktor	______
Konjugation beim Verb		
komm-en; **lern**-en	der Verbstamm	______
komm-**en;** lern-**en**	die Verb-Endung	______
machen – **ge**mach**t**	das regelmäßige Verb	______
gehen – **ge**g**a**ng**en**	das unregelmäßige Verb	______
umziehen, **ein**kaufen, **mit**bringen, ...	das Präfix	______
erzählen	Verb mit nicht trennbarem Präfix	______
auf/wachsen	Verb mit trennbarem Präfix	______
kommen, einkaufen, lesen, ...	der Infinitiv	______
ich **gehe,** du **gehst,** er **geht,** ...	das Präsens	______
ich **bin gegangen,** du **hast gegessen,** ...	das Perfekt	______
gegangen, gefahren, gemacht, ...	das Partizip II	______
ich **war,** du **hattest,** er **musste,** ...	das Präteritum	______
Komm schnell! **Kommen Sie** bitte schnell!	der Imperativ	______

Grammatik

Beispiel	Terminus	Ihre Sprache
Deklination bei Artikelwörtern, Substantiven, Adjektiven und Pronomen		
das/ein Buch	der Singular	________
die Bücher	der Plural	________
der Mantel	maskulin	________
das Hemd	neutrum	________
die Jacke	feminin	________
Elemente im Satz		
Ich habe Brot gekauft. Kannst **du** mir bitte das Brot geben?	das Subjekt	________
Ich habe **Brot** gekauft. Kannst du **mir** bitte **das Brot** geben?	die Ergänzung	________
Er ist **Arzt.**	die Nominativ-Ergänzung	________
Ich gebe dir **den Schlüssel.**	die Akkusativ-Ergänzung	________
Ich gebe **dir** den Schlüssel.	die Dativ-Ergänzung	________
Satz		
Heute ist Montag. Wie spät ist es?	der Hauptsatz	________
Wenn ich Rückenschmerzen habe, mache ich Gymnastik.	der Nebensatz	________
Peter ist krank.	der Aussagesatz	________
Wann geht Peter zum Arzt?	die W-Frage	________
Gehst du zum Arzt?	die Ja-/Nein-Frage	________
Geh zum Arzt!	der Aufforderungssatz	________

Lösungsschlüssel

Kapitel 1

Ü 1 a) Andrea, Anna, Urs
b) Anna – Servus – Österreich – Graz – Deutsch, Italienisch
Urs – Grüezi – Schweiz – Bern – Deutsch, Französisch, Spanisch
Andrea – Guten Tag – Deutschland – Hamburg – Deutsch, Englisch

Ü 2 (1) Anna, (2) Andrea, (3) Anna, (4) Andrea, (5) Urs, (6) Urs, (7) Urs, (8) Andrea, (9) Anna

Ü 3 a) (1) heiße, (2)komme, (3) wohne, (4) spreche, (5) ist, (6) komme, (7) wohne, (8) spreche, (9) heiße, (10) komme, (11) wohne, (12) spreche

Ü 4 Martina – Italien – Rom – Italienisch, Englisch, Deutsch
Andrés Garcia – Lateinamerika, Mexiko – Puebla – Spanisch, Englisch, Deutsch
Gönül Aktan – Türkei – Ankara – Türkisch, Englisch, Deutsch

Ü 5 (1) Martina, (2) aus, (3) in, (4) Deutsch, (5) Lateinamerika, (6) Puebla, (7) Englisch, (8) der Türkei, (9) in, (10) Englisch

Ü 6 1. C, 2. A, F, 3. B, D, 4. E

Ü 7 2. Woher kommen Sie? 3. Welche Sprachen sprichst du? 4. Wo wohnen Sie? 5. Wo wohnst du? 6. Wie heißen Sie? 7. Woher kommst du? 8. Welche Sprachen sprechen Sie?

Ü 8 1. b, 2. a, 3. b, 4. a, 5. a, 6. b

Ü 10 a) und / wie / ist / die / telefonnummer / null / drei / null / vier / drei / sechs / sieben / acht / zwei / null / neun / danke / und / wie / ist / die / adresse / berlin / lausitzer / platz / vier / und / die / postleitzahl / berlin / eins / null / neun / neun / sieben / vielen / dank
b) 1. 030 43 67 82 09, 2. Berlin, Lausitzer Platz 4, 3. 10997

Ü 12 1. Werner, 2. Im Zentrum von Weißrussland, 3. 01099, 4. Im Westen von Österreich, 5. 0049, 6. Im Norden von Deutschland, in Schleswig-Holstein, 7. Bahnhofstraße 15, 70372 Stuttgart, 8. Aus Japan

Ü 13 1. Nordstraße 20, 2. Aus Minsk, aus Weißrussland, 3. In Österreich, in Innsbruck, 4. Aus Japan, 5. Bahnhofstraße 15, 70372 Stuttgart, 6. transit@t-online.de, 7. Deutsch, Comicdeutsch, 8. Im Norden von Deutschland

Ü 14 a) 2. C, 3. E, 4. A, 5. D, 6. H, 7. F, 8. G
b) Das ist Amadeo Schulte. Er kommt aus Mexiko. Er spricht Spanisch, Deutsch und Tschechisch. Er wohnt in Dresden, in Deutschland. Die Adresse ist Bahnhofplatz 8. Die Postleitzahl ist 01259. Die Telefonnummer ist 0049 351 223 18 12. Die E-Mail-Adresse ist amadeo.schulte@t-online.de.

Ü 15 b) neun, dreizehn, vierzehn, sechzehn, neunzehn, zwanzig

Ü 16 b) A 0041 61 781 24 77 – null null vier eins sechs eins sieben acht eins zwei vier sieben sieben, B 0041 79 228 28 46 – null null vier eins sieben neun zwei zwei acht zwei acht vier sechs, C 0043 1 217 11 51 86 – null null vier drei eins zwei eins sieben eins eins fünf eins acht sechs, D 0049 174 300 32 49 – null null vier neun eins sieben vier drei null null drei zwei vier neun

Ü 18 3. schreiben, 4. hören, 5. machen, 6. ordnen (zuordnen), 7. markieren, 8. diskutieren, 9. notieren

Ü 19 1. Sie, 2. Er, Er, 3. Sie, 4. Er

Ü 20 1. Sie, Sie, 2. du, du

Ü 21 b) 1. Ich heiße Akemi Waldhäusl. 2. Ich komme aus Japan. 3. Ich wohne in Innsbruck. 4. Innsbruck liegt im Westen von Österreich. 5. Ich spreche drei Sprachen.

Ü 22 2. Wie heißen Sie? 3. Wo wohnen Sie? 4. Welche Sprachen sprechen Sie?

Ü 23 ● Guten Tag. Woher kommen Sie?
○ Ich komme aus Mexiko. Und woher kommen Sie?
● Ich komme aus Deutschland.

Ü 24 1. Andrea kommt aus Deutschland. Sie wohnt in Hamburg. Sie spricht Deutsch und Englisch. 2. Wie heißen Sie? Ich heiße Jorgos Papadopoulos. Woher kommen Sie? Aus Patras.

Ü 26

A 1a	Hören	Sie.	
A 1b	Hören	Sie	noch einmal.
	Lesen	Sie.	
A 2	Notieren	Sie.	
A 3	Fragen	Sie	im Kurs.
	Machen	Sie	Porträts.
A 6a	Machen	Sie	ein Interview.
A 6b	Stellen	Sie	den Partner / die Partnerin vor.
A 8b	Sprechen	Sie	die Zahlen.
A 10	Spielen	Sie.	

Kapitel 2

Ü 1 Bahnhof – 2, Post – 1, Touristeninformation – 3

Ü 4 2. Haben, 3. finden, 4. Haben, 5. gibt, 6. habe, 7. ist, 8. ist

Ü 5 1. a, 2. b, 3. c, 4. b, 5. a, 6. c

Ü 6 2. Sehen Sie, das ist der Bahnhof. 3. Und da ist das Aalto-Theater. 4. Ist das weit? 5. Nein, 10 Minuten. 6. Danke. Auf Wiedersehen!

Ü 7 1. r, 2. f, 3. r, 4. r, 5. f

Ü 8 *Portier:* Guten Tag, bitte? – Moment bitte, Herr Burger. – Oh, Entschuldigung, Herr Berger. – Bitte ergänzen Sie: Name und Adresse. – Und hier unterschreiben, bitte. – Sie haben Zimmer 20.
Gast: Guten Tag, mein Name ist Berger. – Ich möchte ein Doppelzimmer, zwei Nächte. – Nein, nicht Burger, Berger. – Danke.

Ü 9 1. f, 2. r, 3. r, 4. f, 5. r, 6. r

Ü 10 2. In Essen, 3. Das Münster und die Alte Synagoge, 4. Die Alte Synagoge, 5. Eine Fotoausstellung, 6. Abends.

Ü 11 2. Nur zwei Stunden. 3. Dort siehst du das Münster. 4. Die Alte Synagoge ist sehr bekannt. 5. Ich möchte auch zum Aalto-Theater. 6. Das Museum Folkwang ist auch nicht weit. 7. Und abends komme ich zum Hotel. 8. Oh, das ist schön.

Ü 15 1. Stadt, Stadtplan, Stadtprogramm, Stadtzentrum, 2. Telefon, Text, Theater, Ticket, 3. einfach, einmal, Einzelzimmer, Entschuldigung

Ü 17 b) (6) der Geburtsort, (10) die Unterschrift, (3) die Staatsangehörigkeit/Nationalität, (4) das Geburtsdatum, (2) der Vorname
c) 1. A, 2. A, 3. C, 4. B

Ü 18 die Prospekte lesen; geradeaus gehen, die Kettwiger Straße Richtung Zentrum gehen, in die Altstadt gehen; eine Frage haben, eine Freundin haben, Zeit haben; das Kulturprogramm finden, das Theater finden; Pläne machen

Ü 19 2. schnell, 3. weit, 4. groß/bekannt, 5. alt, 6. bekannt/groß

Ü 20 der / ausgang / alt / berühmt / die / stadt / finden / die / frage / gehen / das / frühstück / geradeaus / groß / gut / das / hotel / kommen / langsam / lesen / die / nacht / richtig / die / unterschrift / weit / das / zentrum / schnell / das / zimmer / zeigen
2. die Stadt, 3. die Frage, 4. das Frühstück, 5. das Hotel, 6. die Nacht, 7. die Unterschrift, 8. das Zentrum, 9. das Zimmer

Ü 22 Suchst du den Ausgang? – Nein, ich suche das Zimmer.
Suchst du den Prospekt? – Nein, ich suche den Stadtplan.
Suchst du den Bahnhof? – Nein, ich suche das Hotel. ...

Ü 23 1. Das Aalto-Theater ist im Stadtgarten. 2. Nein. Das Aalto-Theater ist im Stadtgarten. 3. Ich heiße Beatrix. 4. Nein, ich heiße Beatrix. 5. Ja, die Ausstellung ist im Grugapark. 6. Im Grugapark ist eine Fotoausstellung.

Ü 24 a) 2. Gehen, 3. ist, 4. möchte, 5. ist, 6. Haben, 7. habe, 8. ist, 9. haben, 10. Sehen, 11. sind, ist
b) W-Frage: 8; Aussagesatz: 3, 4, 5, 7, 9, 11; Aufforderungssatz: 2, 10; Ja-/Nein-Frage: 6
c) Position 1: 2, 6, 10; Position 2: 1, 3, 4, 5, 7, 8, 9, 11

Ü 25 1. suche, suchen, ist, 2. suchen, ist, ist, 3. ist, kommt, wohnt, bist, bin, kommst, komme, wohnst, wohne

Ü 26 b) *waagrecht:* er/es/sie möchte, wir/Sie/sie sehen, wir/Sie/sie haben, wir/Sie/sie finden, wir/Sie/sie sind, ich komme, er/es/sie hat, ich suche
senkrecht: du kommst, du gehst

R 2 1. Im Zentrum von Essen, 2. Dusche, WC, Telefon und TV, 3. 55 EUR, 4. Das Frühstücksbüfett

Kapitel 3

Ü 1 1. r, 2. f, 3. f, 4. f, 5. r, 6. r, 7. f, 8. r, 9. r, 10. f

Ü 2 (1) sind, (2) machen/spielen, (3) heißen, (4) singt, (5) spielt, (6) ist, (7) Schlagzeug, (8) spielt, (9) spricht, (10) spielt

Ü 3 a) 2. Wie alt bist du? 3. Was spielst du? 4. Spielst du ein Instrument? 5. Wie lange spielst du Gitarre? 6. Welche Sprachen sprichst du?

Ü 4 1-3-5-7-8-9-10-11-12-13-15-20

Ü 5 Europa: Schweiz – Deutschland – Polen – Russland – Österreich – Tschechien – Ungarn; Amerika: USA – Mexiko – Brasilien; Asien: China – Thailand

Ü 6 1. In der Schweiz / In Zürich, In Bern, 2. Im Mai, 3. Zwei Wochen / 2 Wochen, 4. In China und in Thailand / In Peking und in Bangkok, 5. Im Juli, 6. Im September

Ü 7 (1) Woche, (2) Freitag, (3) Wochenende, (4) Montag, (5) Dienstag, (6) Donnerstag, (7) Freitag

Ü 8 12.11., 1.8., 28.6., 30.5., 25.12.
am einundzwanzigsten Oktober / einundzwanzigsten Zehnten, am neunten September / neunten Neunten, am dritten März / dritten Dritten, am siebten Dezember / siebten Zwölften, am zehnten August / zehnten Achten

Ü 9 1. f, 2. f, 3. r, 4. f, 5. r, 6. r, 7. f, 8. f, 9. f

Ü 11 a) 1, 2, 2, 1, 2, 1, 2, 2, 1, 2, 1

Ü 12 Eine Katastrophe. Schlecht. Nicht schlecht. Schön. Toll! Super!

Ü 18 März, Mai; Januar, Juni, Juli; September, Oktober, November, Dezember

Ü 19 a) Montag, Dienstag, Mittwoch, Donnerstag, Freitag, Samstag, Sonntag;
Das Wochenende = Samstag + Sonntag;
Vierzehn Tage = Zwei Wochen / 2 Wochen

Ü 21 1. a, 2. b, 3. a, 4. a, 5. b, 6. b

Ü 22 a) Ich frage den Partner. Ich suche Wörter. Ich notiere Wörter. Wir machen einen Dialog. Ich suche Informationen.

Ü 26 2. b, 3. a, 4. b, 5. a, 6. a, 7. a

Ü 27 2. Das ist eine Gitarre. 3. Das ist ein Sänger. 4. Das ist ein Computer.

Ü 29 2. eine, Die, 3. ein, Das, 4. eine, Die, 5. ein, Der, ein, Das

Ü 30 Hallo, Markus, heute spielen die Young Gods. Das Konzert fängt an. Die Band ist super. Die Musik ist Spitze. Ich sehe den Sänger sehr gut. Er spielt auch Gitarre. Einfach Spitze! Hast du eine CD von den Young Gods?

Ü 31 Singular: Bühne, Band, Gitarre, Monat, Sprache
Plural: Konzerte, Zahlen, Fragen, Bücher, Wochen

Ü 32 Er gibt, ist er, Viele Menschen sind, Das Licht geht an, Das Konzert beginnt, Herbert Grönemeyer singt, Viele Leute singen, Das Lied ist

Ü 33 Die Musikerinnen, Konzerte, Das Mozart-Quartett, Schüler/Schülerinnen und Schülerinnen/Schüler

R 3 Wer? *Anne-Sophie Mutter, Berliner Philharmoniker, Mozart, Brahms, Schubert, Beethoven, Ravel*
Was? *Professorin, CD, Musik spielen*
Wann? *(geboren) 1963, mit 14 (Jahren), mit 22 (Jahren)*
Wo? *in Rheinfelden / in Deutschland; in London, in Europa, in Amerika, in Asien*

Kapitel 4

Ü 1 1. b, 2.d, 3.a, 4.c

Ü 2 2 sie bleibt liegen, 3 sie hört Radio, 4 sie steht auf, 5 sie duscht, 6 das Wasser kocht, 7 sie macht Kaffee, 8 sie isst Cornflakes, 9 sie trinkt Kaffee, 10 sie liest Zeitung, 11 sie schließt die Tür, 12 sie rennt

Ü 3 1. b, 2. b, 3. a, 4. b, 5. b

Ü 4 1. Sara Becker – Sie ist Journalistin von Beruf, 2. Sara Becker – Sie arbeitet bei der Berliner Abendpost, 3. Sara Becker – Sie schreibt die Seite „Ein Tag im Leben von ...“/ Sie schreibt ein Porträt ...

Ü 5 (1) @, (2) An:, (3) Interview, (4) Tag, (5) E-Mail, (6) geht, (7) möglich, (8) antworten, (9) Dank

Ü 7 1. f, 2. r, 3. f, 4. r, 5. r, 6. f, 7. r, 8. f

Ü 8 a) 2. studieren, 3. sind, 4. arbeiten, 5. schlafen, 6. machen, 7. Verdienen, 8. Haben
b) 1. Was bist du von Beruf? 2. Was studierst du? 3. Wann bist du an der Uni? 4. Wann arbeitest du als Nachtportier? 5. Wann schläfst du? 6. Was machst du in der Nacht? 7. Verdienst du gut? 8. Hast du Zeit für Freunde?

Ü 9 (1) arbeitet, (2) hat frei, (3) spazieren, (4) trinken, (5) lachen, (6) machen, (7) spielen, (8) macht, (9) liest, (10) schläft, (11) haben, (12) trifft

Ü 11 a) (1) geht es, (2) Job, (3) arbeite, (4) machst du, (5) arbeitslos, (6) Arbeit, (7) suche, (8) Leid, (9) Kommst du mit, (10) Einverstanden, (11) Hast du Lust, (12) natürlich
b) Und Sie, was machen Sie? / Ich gehe jetzt in die Nationalgalerie. Kommen Sie mit? Haben Sie Lust?

Ü 12 1. a, 2. b, 3. a, 4. b, 5. a, 6. a

Ü 14 inoffiziell: Es ist acht. Es ist sechs nach acht. Es ist Viertel nach acht. Es ist halb neun. Es ist Viertel vor neun.
offiziell: Es ist acht Uhr / zwanzig Uhr. Es ist zwanzig Uhr sechs / acht Uhr sechs. Es ist acht Uhr fünfzehn / zwanzig Uhr fünfzehn. Es ist acht Uhr dreißig / zwanzig Uhr dreißig. Es ist acht Uhr fünfundvierzig / zwanzig Uhr fünfundvierzig.

Ü 15 1. b, 2. a, 3. a, 4. a, 5. a, 6. a

Ü 18 1. geht ... los, losgehen, 2. kommt ... an, ankommen, 3. steigt ... aus, aussteigen, 4. bereitet ... vor, vorbereiten, 5. sieht ... an, ansehen, 6. kauft ... ein, einkaufen

Ü 19 1. Stehen sie gerne auf? – Ja/Nein. Ich stehe (nicht) gerne auf. 2. Wann steht Sara Becker auf? – Sie steht um 6 Uhr auf. – Wann stehen Sie auf? – Ich stehe um ... Uhr auf. 3. Wann geht/fährt Sara Becker los? Und wann gehen/fahren Sie los? – Ich gehe/fahre um ... Uhr los. 4. Wann kauft Sara ein? Wann kaufen Sie ein? – Ich kaufe abends/morgens um ... Uhr ein.

Ü 20 1. Der Wecker klingelt um 6 Uhr. / Um 6 Uhr klingelt der Wecker. 2. Ich stehe nicht gerne auf. 3. Ich stehen langsam auf. 4. Zuerst hole ich die Zeitung. 5. Dann machen ich das Frühstück. 6. Nach dem Frühstück gehe ich los. / Ich gehe nach dem Frühstück los. 7. Die Bahn fährt um 7 Uhr 40 ab. / Um 7 Uhr 40 fährt die Bahn ab. 8. Sie kommt um 8 Uhr im Zentrum an. / Um 8 Uhr kommt sie im Zentrum an.

Ü 21 2. Ist das eine Gitarre? – Nein, das ist keine Gitarre, das ist eine Violine. 3. Ist das eine CD? – Nein, das ist keine CD, das ist eine Kassette.

Ü 22 (1) nicht, (2) keine, (3) kein, (4) nicht, (5) keine, (6) nicht, (7) keine

Ü 23 Student sein; Musik machen; ein Sandwich machen, haben, essen, kaufen; Bücher machen, lesen, haben, kaufen; Zeit haben; einen Salat machen, haben, essen, kaufen; Journalistin sein

Ü 24 b) Subjekt und Verb: angehen, beginnen, arbeiten, aufstehen
Subjekt, Verb und Akkusativ-Ergänzung: machen, spielen, komponieren, produzieren
Subjekt, Verb und Nominativ-Ergänzung: sein

R 2 a) (1) stehe – auf, (2) gehe – weg, (3) komme – an, (4) lade – ein, (5) Kommst – mit

Kapitel 5

Ü 1 1 Tee (mit Zitrone/Milch), Kaffee, Espresso, Cappuccino
2 Mineralwasser, Orangensaft, Limonade (Cola, Fanta), Apfelsaft
3 Salami-Sandwich, Salat-Sandwich, Käse-Sandwich, Mini-Pizza, Schinken-Sandwich, Tagessuppe

Ü 4 2. fünf, 3. muss, 4. ist, 5. mitkommen, 6. Zahlen

Ü 5 *Kellnerin:* Zusammen oder getrennt? – Also, ein Käse-Sandwich und ein Mineralwasser, macht fünf Euro sechzig. – Sechs Euro ... und vierzig Cent zurück. – Danke schön! Und Sie haben ein Sandwich mit Salat und Tee. Macht zusammen sieben Euro. – Oh, Entschuldigung! Sechs Euro natürlich ...
Gäste: Zahlen bitte! – Getrennt bitte. – Das ist für Sie. – Wie bitte? – Sieben Euro! – Aber ein Sandwich mit Salat und ein Tee sind zusammen sechs Euro!

Ü 6 2. Ich brauche ein Huhn. – möchte, 3. Sehr frisch! – Ganz, 4. Wie viel ist das? – schwer, 5. Moment mal, 2 Pfund. – 950 Gramm, 6. Dann möchte ich noch eins. – brauche, 7. Das kostet dann 12 Euro fünfzig. – macht, 8. Was machst du eigentlich? – kochst, 9. Ich möchte eine Suppe kochen. – will, 10. Hühnersuppe und Gemüse. – mit, 11. Komm, wir wollen noch Gemüse kaufen. – müssen

Ü 7 (2) einkaufen, (3) gibt, (4) fahren, (5) machen, (6) kaufen, (7) treffen, (8) sind

Ü 9 2. f, 3. r, 4. r, 5. f, 6. r, 7. r, 8. f

Ü 10 Liebe Katrin, hast du am Samstag Zeit? In der Sprachenschule machen wir ein Fest, mit Musik und Spezialitäten aus vielen Ländern. Kommst du mit? Ich möchte dich ganz herzlich einladen. Es beginnt um 16.00 Uhr. Du kannst auch später kommen. Wichtig für dich: Das Büfett gibt es ab 7 Uhr. Das Fest ist sicher ganz toll, mit viel Musik.
Liebe Grüße, bis Samstag
Monica

Ü 12 1 Tomaten 2,50 Euro das Kilo, Salat 40 Cent, Putensteaks 100 Gramm 90 Cent, Schweinesteaks 8,50 Euro das Kilo, Grillwürstchen 6-Stück-Packung 3,10 Euro
2 Aktienkurs Adidas 75 Euro 11 Cent, Allianz 73 Euro 89 Cent, BMW 27 Euro 26 Cent, Contact AG 12 Euro 50 Cent, DaimlerChrysler 28 Euro 48 Cent, Deutsche Bank 39 Euro 48 Cent
3 500 Gramm Mehl, ein Glas Milch, 2 Eier, eine Prise Salz, Wasser

Ü 13 2. das Huhn, 3. der Pfeffer, 4. das Mehl, 5. Reis

Ü 15 a) einunddreißig, zweiundvierzig, dreiundfünfzig, vierundsechzig, fünfundsiebzig, sechsundachtzig, siebenundneunzig, fünfundachtzig Cent, acht Euro fünfzig, neun Euro vierzig, siebzehn Euro neunundvierzig, neunundvierzig neunzig, (ein)hundertneun Euro

Ü 16 2. möchten, 3. muss, 4. kann

Ü 17 2. D, 3. A, 4. C

Ü 18 2. Er muss einkaufen. 3. Kann ich einen Tee haben? 4. Ich möchte Ingwer. 5. Du musst das Essen probieren!

Ü 19 1 möchten, möchte, kann, möchten
2 willst, muss, möchte, kann

Ü 20 (1) muss, (2) will, (3) willst, (4) möchte, (5) muss, (6) Kann, (7) musst, (8) muss

Ü 22 1. Um 6.30 Uhr klingelt der Wecker. / Der Wecker klingelt um 6.30 Uhr. 2. Ich stehe nicht gerne auf. / Gerne stehe ich nicht auf. 3. Der Kurs beginnt um 8.00 Uhr. / Um 8.00 Uhr beginnt der Kurs. 4. Heute Abend ist das Kursfest. / Das Kursfest ist heute Abend. 5. Am Nachmittag muss ich noch einkaufen. / Ich muss am Nachmittag noch einkaufen. 6. Das Kursfest beginnt um 16.00 Uhr. / Um 16.00 Uhr beginnt das Kursfest.

R 2 1. Ein Glas Marmelade mit 400 Gramm, 2. Eine Flasche Essig (ein halber Liter), 3. Ein Becher Joghurt mit 500 Gramm, 4. Eine Dose Thunfisch mit 160 g kostet ein(en) Euro dreißig.

Kapitel 6

Ü 1 2. <u>viel</u> – keine, 3. <u>die Schule</u> – einen Sprachkurs, 4. <u>in der Nacht</u> – am Abend, 5. <u>oft Deutsch</u> – oft Englisch

Ü 2 2, 6, 4, 5, 1, 3

Ü 3 1 A, 2 C, 3 B

Ü 5 2. r, 3. f, 4. f, 5. f, 6. r

Ü 7 (2) einer, (3) lesen, (4) Sie, (5) Wörter, (6) schneiden, (7) den, (8) Sätze, (9) Die, (10) zu, (11) wollen, (12) machen, (13) Lehrerin

Ü 9 2. im Unterricht, 3. Grammatik, Wörter, 4. aus dem Arbeitsbuch, 5. mit der Kassette, 6. mehr verstehen

Ü 17 Beispiele: 2. auf Kassette aufnehmen, 3. eine E-Mail schicken, 4. das Lernen planen, 5. Wörter notieren, 6. die Grammatik wiederholen

Ü 18 1. die CD-ROM einlegen, 2. das Programm starten, 3. das Kapitel / eine Übung anklicken, 4. eine Übung / ein Kapitel auswählen, 5. eine Taste drücken, 6. die Lösung kontrollieren, 7. die Datei speichern, 8. das Programm beenden

Ü 19 1. aus, 2. in, 3. Am, 4. Im, 5. vor/nach, 6. mit, 7. nach/vor

Ü 20 1. in einer Schule, (In einer Universität), ...
2. mit einer Kassette, mit einem Computer, mit einem Buch, mit einem Freund, mit einer Lehrerin, ...

Ü 21 2. aus der Türkei, 3. Im / In dem Kurs, 4. mit Büchern, 5. In den Büchern, 6. in Gruppen, 7. Aus den Zeitungen, 8. Aus den Wörtern

Ü 22 2. Sie lebt in Innsbruck. 3. Akemi lernt viel mit dem Computer. 4. Sie lernt immer vor dem Kurs. 5. Zu Hause spricht Akemi Japanisch mit dem Sohn. 6. Akemi lernt auch mit einem Lernpartner.

Ü 23 1. Nein, ich muss noch eine halbe Stunde lernen.
2. Nein, ich muss schlafen.
3. Nein, die müssen wir nicht machen.
4. Ja, natürlich darfst du mitkommen!
5. Nein, Sie dürfen hier nicht rauchen.

Ü 24 2. dürfen, 3. können, 4. müssen, 5. darf, 6. will, kann, 7. muss, 8. will

Ü 25 a) <u>Machen Sie</u> einen Plan: <u>Lernen Sie</u> regelmäßig. Aber <u>lernen Sie</u> nicht zu viel auf einmal. <u>Machen Sie</u> nach einer halben Stunde eine Pause. <u>Wiederholen Sie</u> oft, aber <u>wiederholen Sie</u> immer anders. <u>Arbeiten Sie</u> auch in der Gruppe. <u>Sprechen Sie</u> viel. <u>Hören Sie</u> auch deutsches Radio. <u>Lesen Sie</u> deutsche Texte und <u>schreiben Sie</u> E-Mails an einen Tandem-Partner.
b) Mach einen Plan. Lern(e) regelmäßig. Aber lern(e) nicht zu viel auf einmal. Mach nach einer halben Stunde eine Pause. Wiederhol(e) oft, aber wiederhol(e) immer anders. Arbeite auch in der Gruppe. Sprich viel. Hör(e) auch deutsches Radio. Lies deutsche Texte und schreib(e) E-Mails an einen Tandem-Partner.

R 1 Tipp 1, 2, 3, 5

R 2 1. muss/will/möchte, 2. kann/möchte, 3. darf, 4. Wollen, 5. müssen/wollen

R 3 (1) in, (2) Am, (3) Nach, (4) mit, (5) mit, (6) von/auf

Kapitel 7

Ü 1 2. f, 3. r, 4. f, 5. r, 6. r, 7. r, 8. r

Ü 2 b) 2. hat gewartet – warten, 3. hat gesucht – suchen, 4. hat gesehen – sehen, 5. hat geschickt – schicken, 6. hat geantwortet – antworten, 7. ist gefahren – fahren, 8. hat gebucht – buchen, 9. hat telefoniert – telefonieren, 10. ist gekommen – kommen

Ü 3 a) 1. eine halbe Stunde, 2. (ungefähr) drei Stunden, 3. zwanzig Minuten
b) 1. zu spät, 2. morgen, 3. Wann, 4. um zehn vor acht, 5. Ungefähr, 6. um halb elf, 7. Wie lange, 8. drei Stunden, 9. So lange, 10. nicht weit

Ü 5 1. r, 2. f, 3. r, 4. f, 5. r, 6. f, 7. r, 8. f

Ü 6 a) A3, B5, C1, D2, E4

Ü 7 Guten Tag! Auf Wiedersehen! Vielen Dank! Ja. Nein.

Ü 8 1. G, H, 2. B, F, 3. C, E, 4. A, D

Ü 9 a) 1. A, 2. B, 3. B, 4. A, 5. B, 6. A, 7. A, 8. A, 9. B, 10. B

Ü 10 1. 25 Minuten, 2. 15 Uhr 20, auf Gleis 2, 3. 15 Uhr 31, auf Gleis 9

Ü 11 1. A, C, 2. D, J, 3. F, H, 4. B, I, 5. E, G

Ü 12 b) Es tut mir Leid; Tut mir Leid, aber ...; Ich habe leider ...

Ü 14 a) 2.diskutiert, 3. festgelegt, 4. geholt, 5. gelesen, 6. gesucht, 7. gebucht, 8. gemietet

b) 2. diskutieren – diskutiert, 3. festlegen - festgelegt, 4. holen – geholt, 5. lesen – gelesen, 6. suchen – gesucht, 7. buchen – gebucht, 8. mieten – gemietet

Ü 15 1. B, 2. C, 3. D, 4. E, 5. A, 6. F

Ü 16 a) 1. die Freundin abholen, den Fahrplan lesen, 2. starten und landen, das Flugzeug nehmen, ein Taxi rufen, parken, die Freundin abholen, im Dutyfreeshop einkaufen, eine Durchsage hören, ein Auto mieten, essen und trinken, 3. die Fahrkarte kaufen, 4. die Fahrkarte kaufen, ein Taxi rufen, parken, die Freundin abholen, in den Zug einsteigen, eine Durchsage hören, den Fahrplan lesen, essen und trinken, 5. eine Durchsage hören, essen und trinken, 6. die Fahrkarte kaufen, ein Taxi rufen, parken, das Schiff nehmen, die Freundin abholen, ein Auto mieten, den Fahrplan lesen, essen und trinken

Ü 17 a) haben ... gesehen, sind ... gewandert, hat ... gefragt, haben ... diskutiert, haben ... gemacht, hat ... geschlafen
b) regelmäßige Verben: sind gewandert – wandern, hat gefragt – fragen
unregelmäßige Verben: haben gesehen – sehen, hat geschlafen – schlafen
Verben auf *-ieren*: haben diskutiert – diskutieren

Ü 18 1. **G** E M A C H T, 2. G E F A **H** R E **N**, 3. G E L **E** B T, 4. G E A R B E I T **E** T, 5. G E **S** U C H T, 6. G **E** Z E I G T
Lösungswort: G E S E H E N

Ü 19 2. Wir sind mit dem Flugzeug nach Hamburg gereist. / Nach Hamburg sind wir mit dem Flugzeug gereist. 3. Von Hamburg sind wir mit dem Zug an die Nordsee gefahren. / Mit dem Zug sind wir von Hamburg an die Nordsee gefahren. / An die Nordsee sind wir von Hamburg mit dem Zug gefahren. / Wir sind mit dem Zug von Hamburg an die Nordsee gefahren. 4. Wir haben ein Hotel am Meer gebucht. 5. Wir sind oft stundenlang am Meer gewandert.

Ü 20 Robert, Ines und Robert, Robert, Ines und Robert, Ines und Robert, Ines und Robert, Ines, Mann

Ü 21 2. ihn, ihn, mich, 3. ihn, 4. du, 5. dich, 6. Ich, ich

Ü 22 2. bin, 3. ist, 4. seid, 5. bin, 6. bin

Ü 23 Lieber Peter, liebe Susanne, ihr müsst (unbedingt) an die Nordsee fahren. Das Hotel Neptun in St. Peter-Ording ist toll. Ihr fahrt bis zur Kirche, dann sieht man das Hotel. Im Hotel-Restaurant könnt ihr gut essen und das Nolde-Museum müsst ihr (auch) besuchen.

R 2 (2) gebucht, (3) gefahren, (4) Auto gemietet, (5) geschlafen, (6) gefrühstückt, (7) gegessen, (8) gebadet, (9) gelesen, (10) diskutiert

R 3 1. parken, 2. die Fahrkarte kaufen, 3. im Meer baden, 4. Guten Appetit!; 5. wandern

Kapitel 8

Ü 1 1. 14 Jahre, 2. Vier Zimmer, 3. 100 Meter, 4. 2 000 000 (2 Millionen), 5. 254

Ü 2 (1) war, (2) haben, (3) war, (4) hatten, (5) gesehen, (6) verkauft, (7) erzählt, (8) besucht, (9) gestiegen, (10) gegangen, (11) vergessen

Ü 3 1. E, (G, I), 2. A, (D), G, I, 3. A, F, G, 4. B, H, 5. C, 6. D, 7. A, I

Ü 5 1. f, 2. r, 3. f, 4. f, 5. r, 6. f, 7. r, 8. r, 9. f

Ü 7 Dialog 1: (1) nicht, (2) schon, (3) blau, (4) oval, (5) grün, (6) gelb, (7) grau, (8) rosa, (9) aus Holz.
Dialog 2: (1) Bild, (2) super, (3) Foto, (4) alt
Dialog 3: (1) Herd, (2) Heizung, (3) Gas, (4) Öl, (5) Toilette, (6) Flur, (7) Tür
Dialog 4: (1) Gratuliere, (2) Kinderzimmer, (3) Schreibtisch, (4) Bücherregal, (5) Balkon

Ü 8 1. C, 2. A, 3. D, 4. B

Ü 9 a) eckig – oval, gemütlich – ungemütlich, hoch – niedrig, kalt – warm, leer – voll, neu – alt, sauber – schmutzig

Ü 10 2. drei Häuser – vier, 3. links unten – oben, 4. das Foto – das Bild, 5. die Bäume – die Häuser, am Himmel – am Hügel, 6. blau – einfach, 7. zwei Stockwerke, Garage, 8. Türen schwarz – Fenster, 9. braunrot – rotbraun, rostrot, 10. malt – zeichnet

Ü 11 a) 9, 5, 3, 11, 7, 8, 1, 4, 10, 2, 6

Ü 12 a) (1) gelb, (2) braun, (3) blau, (4) braun, (5) grün, (6) violett, (7) hell
b) (1) grau, (2) weiß, (3) dunkelrot, (4) gelb, (5) grün, (6) schwarz, (7) grün, (8) weiß, (9) rot

Ü 13 2 ▶ Spiegel, 3 ▶ Sessel, 4 ▶ Stuhl, 5 ▼ Tisch, 6 ▼ Herd, 7 ▶ Computer, 8 ▼ Bett

Ü 15 Text 1: ab 1. April, 400 Euro, Tel. 8 36 31 79 ; Text 2: Wir leben auf dem Land, Zimmer (ca. 20 m²), 100 Euro

Ü 16 a) Verben mit trennbarem Präfix: eingekauft, eingeladen, vorbereitet, umgezogen
Verben mit nicht trennbarem Präfix: besucht, vergessen
b) 2. gelebt, 3. bezahlt, 4. umgezogen, 5. vergessen, 6. besucht, 7. eingeladen, 8. vorbereitet, eingekauft, 9. gesehen

Ü 17 2. bist ... gegangen, 3. bist ... umgezogen, 4. hast ... studiert, 5. bist ... gekommen, 6. bist ... geblieben

Ü 18 Ramón ist in Spanien aufgewachsen. Er hat dort in einer kleinen Wohnung gelebt. / Dort hat er in einer kleinen Wohnung gelebt. Dann ist er nach Deutschland gezogen. Er hat in München studiert. In den Ferien hat er in einem Büro gearbeitet. Er ist fünf Jahre in München geblieben. Danach ist er nach Berlin gegangen.

Ü 19 2. war, 3. war, 4. war, 5. hatte, 6. war

Ü 20 a) Beispiel: Die Wohnung von Herrn Probst war im Turm. Sie war groß und hatte viele Zimmer: zwei Zimmer und ein Büro, Küche, Bad und WC. Die Aussicht war sehr schön und rund um die Wohnung war ein Balkon.

Ü 21 2. Ist die Wohnung nicht zu laut? 3. Hat die Wohnung keinen Balkon? 4. Ist die Miete nicht sehr hoch? 5. Suchen Sie keine neue Wohnung? 6. Sind Sie kein Stadtmensch?

R 2 1. das Regal, 2. grün, 3. die Treppe, 4. dunkel

R 3 1. ist aufgewachsen, 2. hat gelebt, 3. ist umgezogen, 4. hat gewohnt, 5. ist geblieben, 6. hat gemietet, 7. sind ausgegangen, 8. haben verdient, 9. haben verkauft, 10. haben bezahlt

Kapitel 9

Ü 2 1. B, 2. A, 3. F, 4. C, 5. D, 6. E

Ü 4 2. eine Kollegin – meine Freundin, 3. bringen – anbieten, 4. trinkst – nimmst, 5. Stefan – dein Freund, 6. für uns – persönlich, 7. ein Bier – auch einen Sekt, 8. bitte – schnell

Ü 6 Ober: 1, 3, 5; Freund: 2, 4, 6

Ü 7 1. C, 2. B, 3. D, 4. A

Ü 9 2, 4, 6, 7

Ü 10 2, 3, 4, 8

Ü 11 1. Liebe Petra, 2. leider warst du nicht da. 3. Das war ein Geburtstag! 4. Stefan hat gekocht, alles ist angebrannt. 5. Und im „Alt-Leipzig" war kein Platz. 6. Dann haben wir am Dönerstand gegessen und gefeiert. 7. Und dann: Tanzen bis in den Morgen. 8. Stefan hat mir ein Wochenende in Hamburg geschenkt! 9. Christine fährt mit nach Hamburg! 10. Und du? 11. Hast du auch Lust? 12. Bis bald, 13. deine Claudia

Ü 12 2. Was möchten Sie trinken? 3. Nimmst du noch ein Bier? 4. Essen Sie gern vegetarisch? 5. Wie findest du den Döner?

Ü 15 von links nach rechts: schneiden, rühren, (dazu)gießen, würzen, kochen

Ü 16 nur eine Schüssel, Salat im Glas, kein Wasser, Mann hat Blumenvase in der Hand

Ü 17 waagrecht: 1. MILCH, 2. GABEL, 5. WAERMEN, 8. HOLEN, 9. ZUCKER, 12. MINERAL, 13. SALZ, 15. SALAT, 16. EI, 17. DOSE, 18. DECKEN, 19. WURST, 21. HUNGER, 22. WASSER, 23 SATT, 24. NUDELN, 25. KAESE, 26. ABRAEUMEN
senkrecht: 2. GENIESSEN, 3. TEE, 4. KOCHEN, 6. MUESLI, 7. ORANGE, 10. KALT, 11. ABWASCHEN, 14. MACHEN, 17. DURST, 20. TORTEN, 22. WARM

Ü 18 (1) ihr, (2) ihr, (3) ihm, (4) ihr, (5) ihr, (6) ihm

Ü 19 1. ihr, 2. ihnen, 3. dir, 4. ihnen, 5. ihm, 6. mir

Ü 20 a) hat ... gekocht, schenkt, bietet ... an, bringen ... mit, trinken, trinkt, ist angebrannt, holen
b) Subjekt, Verb und Akkusativ-Ergänzung: kochen, trinken, holen
Subjekt, Verb , Dativ- und Akkusativ-Ergänzung: schenken, anbieten, mitbringen

Ü 21 1. Sie, 2. ihnen, 3. Er, 4. Ihnen, 5. Ihnen, 6. Ihnen, 7. Sie, 8. mir, 9. dir, 10. Mir

Ü 22 2. Claudia ist seine/meine Freundin. 3. Er hat seinen Kollegen eingeladen. 4. Claudia: „Ist das dein Kollege?"
5. Das ist meine/deine/seine/ihre/Ihre Cola. 6. Ist das Ihr/dein/mein Bier? 7. Das sind meine/seine/ihre Döner. 8. Ich suche meine/seine/... Geschenke.

Ü 23 1. ihren, 2. ihre, 3. sein, 4. deine, 5. meine, 6. mein, 7. seine, 8. meinen

R 1 1. die Serviette, 2. die Schüssel, 3. der Topf, 4. die Flasche

R 3 (1) deine, (2) deinen, (3) dein, (4) meinen, (5) meiner, (6) dich, (7) ihn, (8) ihm, (9) dir, (10) mir

Kapitel 10

Ü 1 1.b, 2.b, 3.a, 4.a

Ü 2 1. Adrian Knupp war krank. 2. Er musste ins Büro. Er hatte sehr viel Arbeit. 3. Im Büro konnte er sich nicht konzentrieren. 4. Bei der Anmeldung musste er die Versicherungskarte zeigen.

Ü 3 Azt: 1, 2, 3, 5, 6, 7, 9, 12; Patient: 4, 8, 10, 11, 12

Ü 4 1. B, 2. E, 3. D, 4. C, 5. A, 6. F

Ü 5 1. f, 2. r, 3. r, 4. f, 5. f, 6. r

Ü 6 2. die Tabletten – die Medikamente, 3. eine Dosis – einen Beutel, 4. im heißen Wasser – im kalten Wasser, 5. vor den Fernseher – ins Bett, 6. die Grippe – das Fieber, 7. keinen Hunger – keinen Appetit, 8. kaputt - schwach

Ü 7 1. geht besser, 2. Grippe, 3. Fieber mit Halsweh und Kopfweh, im Bett, viel trinken, 4. mag nichts essen, 5. im Bett bleiben, 6. das ist nett

Ü 9 3, 2, 1, 4, 6, 8, 5, 7

Ü 10 1. Sieht, müde, 2. Rauchen Sie, rauchen Sie, 3. zum Arzt, 4. Problemen, 5. Rückenschmerzen, 6. ins Krankenhaus, 7. Ohrenschmerzen, Fieber

Ü 12 (1) stellen, (2) stehen, (3) auf den, (4) auf dem, (5) auf dem, (6) auf den, (7) auf dem, (8) auf dem, (9) auf die, (10) auf den

Ü 14 1. in die Türkei, 2. in der Schweiz, 3. nach Mexiko, 4. im Supermarkt, 5. ins Kino, 6. in der Küche, 7. zum Bahnhof.

Ü 17 (2) wollte/konnte, (3) konnte, (4) konnte, (5) musste/wollte, (6) musste, (7) musste/wollte, (8) musste, (9) musste, (10) wollte/konnte

Ü 18 a) Konntest du arbeiten? Wolltest du zum Arzt gehen? Musstest du Tabletten nehmen? Musstest du im Bett bleiben? Musstest du lange zu Hause bleiben? Konntest du dich konzentrieren? Wolltest du ins Büro gehen?

Ü 19 (2) dich, (3) sich, (4) sich, (5) sich, (6) mich, (7) mich, (8) sich, (9) sich, (10) sich

Ü 20 2. im Zentrum – Wo arbeitet er? 3. Am Marktplatz – Wo steigt er aus? 4. an den Schreibtisch – Wohin setzt er sich? 5. An der Wand – Wo hängt ein Plakat? 6. Auf dem Plakat – Wo sind Rücken-Übungen? 7. hinter dem Computer – Wo hängt das Plakat? 8. hinter den Stuhl – Wohin stellt sich Michael? 9. auf den Stuhl – Wohin legt er die Hände? 10. auf dem Stuhl – Wo bleiben die Hände?

Ü 21 2. Wo ist Peter? – In der Stadt. 3. Wo sitzt du? – Hinter dem Tisch. 4. Wohin kann ich mich setzen? – Auf den Stuhl.

Ü 22 2. Wenn die Patienten nicht Deutsch sprechen, redet Dr. Birrer mit Händen und Füßen. 3. Wenn wir zu lange sitzen, bekommen wir Rückenschmerzen. 4. Wenn ich Kopfschmerzen habe, nehme

ich eine Tablette. 5. Wenn ich Rückenschmerzen habe, mache ich Übungen gegen Rückenschmerzen.

R 2 1. das Bein, 2. hören, 3. riechen, 4. der Armbruch

R 3 A2, B1, D2

Kapitel 11

Ü 1 1. Auch Anzüge trägt er oft. In seiner Freizeit trägt er auch Turnschuhe zum Anzug. 2. In ihrer Freizeit mag sie es lässig. Da trägt sie Jeans und T-Shirts. Sie mag diesen Unterschied Freizeit – Arbeit. 3. „Kleider machen Leute – das stimmt", meint er. Er kauft alles im Sonderangebot, auch Regenjacken oder Mäntel. Er mag Second-Hand-Läden nicht. 4. Sie trägt in der Arbeit eine farbige Bluse und eine weiße Hose. Privat zieht sie sich richtig schön an. Da zieht sie gerne ihren weißen Mantel an und die weißen Schuhe dazu. Weiß ist ihre Lieblingsfarbe.

Ü 3 a) 1. blau, 2. grün, 3. gelb, 4. orange, 5. rot, 6. rosa, 7. violett, 8. schwarz, 9. grau, 10. weiß

Ü 4 (1) Welcher, (2) rot, (3) blau, (4) Welches, (5) schwarz, (6) brav, (7) gut

Ü 6 1. a, 2. a, 3. b, 4. b, 5. a, 6. b

Ü 7 a) Verkäufer/in: 3, 5, 6, 10, 12, 13, 14
Käufer/in: 1, 2, 3, 4, 7, 8, 9, 11, 14, 15

Ü 8 A Jonathan: musste früher gesunde Schuhe tragen, durfte mit 14 Jahren selbst Kleidung kaufen, hört gerne Klassik
B Sieglinde: hatte Streit mit den Eltern, hört die gleiche Musik wie die Kinder, konnte die ersten Kleider selbst bezahlen, trägt teilweise die gleichen Kleider wie die Tochter, durfte die Lieblingskleider nicht tragen

Ü 13 a) Text 1, Personen: Herr Kurz (Verkäufer/Verkäuferin?), Thema: Kleider kaufen/anprobieren
Text 2, Personen: Rosanna (Freundin?), Thema: Kleider kaufen/auswählen
b) Ich probiere den Dreiteiligen an.
c) Kein Problem. – Gute Wahl! Zeitlos, nicht zu modisch. – Aber ohne Weste?

Ü 14 Das sind Ankündigungen, Das muss ich machen: richtig/falsch ankreuzen

Ü 15 waagrecht: Bluse, die, Blusen – Mantel, der, Mäntel – Anzug, der, Anzüge – Hut, der, Hüte
senkrecht: Strumpf, der, Strümpfe – Badehose, die, Badehosen – Hose, die, Hosen – Badeanzug, der, Badeanzüge – Socke, die, Socken

Ü 17 1. A, H, 2. B, D, (F), 3. E, (F), 4. C, G, (H)

Ü 18 Verb + Adjektiv ohne Endung: 4. ist schön, 6. sind neu, 7. sind alt
Artikelwort + Adjektiv mit Endung + Substantiv: 3. zwei kleine Zimmer, ein modernes Bad, 5. neue Möbel, 6. das schwarze Sofa, der kleine Tisch, die blauen Stühle

Ü 19 2. neue, 3. grün, 4. braun, 5. schwarz, 6. braune, 7. grüne, 8. gut, 9. neu

Ü 20 1. grünen, 2. graue, 3. grüne, 4. schwarze, 5. gelbe, 6. schwarze

Ü 23 2. Die schwarzen. 3. Der blaue. 4. Den Grauen. 5. Das für 25 Euro. 6. Das im Schaufenster. 7. Das schwarze.

1A2 Wetter und Landschaften

Ü 7 1. D, E, G, H, 2. A, F, 3. B, 4. C

Ü 8 a) (1) grün, (2) Blumen, (3) April, (4) kariert, (5) Sommer, (6) heiß, (7) Wolken, (8) August, (9) Lust
b) 1. rund – bunt, 2. Bild – wild, 3. rot – tot, 4. grau - Tau, 5. Eis – weiß, 6. Ihnen - Apfelsinen

Ü 10 a) alt – kalt, Schnee – See, Herz – Schmerz, Hund – rund, lachen – machen, legen – Regen, mal – Tal, Sonne – Wonne, Tier – vier

Schlusstest

S. 97 Aufgabenstellung genau lesen
Hören: 1. r, 2. r, 3. f, 4. r, 5. f
Lesen: falsch: ... kannst das Wörterbuch mitnehmen, ... einfach notieren, Zeitungstexte

S. 98 Lesen 1
1. falsch, 2. falsch, 3. richtig, 4. richtig, 5. falsch = 5 Punkte

S. 99 Lesen 2
1 a, 2 b, 3 b, 4 b, 5 a

S. 100 Hören 1
1. falsch, 2. falsch, 3. falsch, 4. richtig, 5. falsch

Hören 2
1. Zucker, 2. lesen und schreiben, 3. 0632 89 57 21, 4. fünf vor zwölf, 5. 5-Euro-Note

S. 101 Schreiben 1
Modell:
Wie viele Wochen Ferien haben Sie im Jahr? *5 Wochen*
Wo waren Sie letztes Mal in den Ferien? *In Italien und in der Schweiz*
Name: *Nunez*, Vorname: *Alejandra*
Geschlecht: ☐ männlich ☒ weiblich
Alter: 24 Beruf: *Studentin (Wirtschaft)*
Telefonnummer oder Email-Adresse: *00 34 91 521 5897 / alejandra.nunez@gmx.sp*

Schreiben 2
Modell:
Hallo, Maria / Liebe Maria, danke für die Einladung. Leider kann ich nicht kommen. Ich fahre vom 27. Juni bis 13. Juli nach Deutschland. Ich gehe nach Berlin und Hamburg. Alles Gute und ein tolles Fest! / Liebe Grüße
Bruno

Quellen

Marlies Coprian, München (Foto: S. 14) – Dresden-Werbung und Tourismus GmbH (Foto: S. 41 re.) –
Florence Grosjean / CLAC (Fotos: S. 20 o., Mitte) – Hura dax Postkartenverlag Weilheim (Foto: S. 8 u.) – Isabelle Meister / CLAC (Foto: S. 20 u.) –
Jochen Mönch, Bremen (Foto: S. 41 li.) – Martin Müller, Bürglen (Fotos: S. 5 Mitte, re., 6 drei Fotos re.; 7; 8 o.; 11; 80; 102 o. li., u. re.) –
Polyglott Kartographie München (S. 55) – Paul Rusch, Götzens (Fotos: S. 6 li.; 16; 46; 47; –
Theo Scherling, München (Zeichnungen S. 13, 15, 17, 19, 24, 25 u., 26, 38, 48, 55, 57, 68, 69, 71, 74 re., 76; 79, 81, 82, 90, 91, 92, 94 o.) –
SV-Bilderdienst, München (Fotos: S. 29) – VG Bild-Kunst, Bonn 1992 (S. 65) –
Lukas Wertenschlag, Lutry (Fotos S. 4 li., re.; 62; 63 o.; 94; 102 u. li.)
Alle hier nicht aufgeführten Zeichnungen: Christoph Heuer, Zürich
Alle hier nicht aufgeführten Fotos: Vanessa Daly, München

Lerner-CD zu Training und Aussprache, Lehrbuch Kapitel 1–11, und Arbeitsbuch 1A2 Schlusstest „Ausklang“

Index AB–CD	LB-Kapitel, Aufgabe	Index LB–CD	AB-Kapitel, Übung
2–5	1, A 7a	1.9–12	1, Ü 13
6	1, A 12	1.19	
7	1, A 13	1.20	
8	1, A 14	1.21	
9–10	1, A 15	1.22–23	
11	1, A 16	1.24	
12–13	2, A 11	1.31–32	
14	2, A 17	1.33	
15	2, A 18	1.34	
16	2, A 19	1.35	
17	2, A 20	1.36	
18	2, A 21	1.37	
19	2, A 22	1.38	
20–23	3, A 11	1.46–49	
24	3, A 16	1.52	
25	3, A 17	1.53	
26	3, A 18	1.54	
27	3, A 19	1.55	
28–33	4, A 11	1.60–65	4, Ü 12
34	4, A 16	1.74	
35	4, A 17	1.75	
36	4, A 18	1.76	
37	4, A 19	1.77	
38	4, A 20	1.78	
39–41	5, A 11b	1.85–87	5, Ü 12
42	5, A 15	1.88	
43	5, A 16	1.89	
44	5, A 17	1.90	
45	5, A 18	1.91	
46	5, A 19	1.92	
47–48	6, A 12	2.1–2	
49	6, A 17	2.3	
50	6, A 18	2.4	
51	6, A 19	2.5	
52	6, A 20	2.6	
53	6, A 21	2.7	
54	6, A 22	2.8	
55	7, A 11	2.13	
56	7, A 16	2.15	
57	7, A 17	2.16	
58	7, A 18	2.17	
59	7, A 19	2.18	
60	7, A 20	2.19	
61	8, A 10c	2.28	8, Ü 10
62	8, A 16	2.31	
63	8, A 17	2.32	
64	8, A 18	2.33	
65	8, A 19	2.34	
66	8, A 20	2.35	
67	8, A 21	2.36	
68	9, A 18	2.42	
69	9, A 19	2.43	
70	9, A 20	2.44	
71	9, A 21	2.45	
72–73	10, A 11	2.50–51	10, Ü 12
74	10, A 15	2.53	
75	10, A 16	2.54	
76	10, A 17	2.55	
77	10, A 18	2.56	
78	10, A 19	2.57	
79	10, A 20	2.58	
80–81	11, A 8	2.61–62	11, Ü 13b
82	11, A 13	2.64	
83	11, A 14	2.65	
84	11, A 15	2.66	
85	11, A 16	2.67	
	1A2, Schlusstest		
86–90	Hören 1	2.73–77	1A2, S. 100
91–95	Hören 2	2.78–82	1A2, S. 100

Musikproduktion und Tonstudio: Heinz Graf, Puchheim
Schnitt: Manfred Mayer
Regie: Sabine Wenkums
Gesamtlaufzeit: 66'35